国家"十一五"重点规划图书——当代生态经济译库(三)

国民核算手册(方法研究),系列 F,NO.78

集成环境和经济核算

——操作手册

联合国经济社会事务部统计署
联合国环境规划署 编

徐中民 马 忠 尚海洋 译校

黄河水利出版社

图书在版编目(CIP)数据

集成环境和经济核算——操作手册/徐中民,马忠,尚海洋译.—郑州:黄河水利出版社,2006.11

(当代生态经济译库)

国家“十一五”重点规划图书

ISBN 7-80734-077-0

Ⅰ.集…　Ⅱ.①徐…　②马…　③尚…　Ⅲ.环境经济-经济核算-手册　Ⅳ.X196-62

中国版本图书馆CIP数据核字(2006)第135740号

出 版 社:黄河水利出版社

地址:河南省郑州市金水路11号　　邮政编码:450003

发行单位:黄河水利出版社

发行部电话:0371-66026940　　传真:0371-66022620

E-mail:hhslcbs@126.com

承印单位:河南新华第二印刷厂

开本:787mm×1 092mm　1/16

印张:11.5　　插页:2

字数:266千字　　印数:1—2 500

版次:2006年11月第1版　　印次:2006年11月第1次印刷

书号:ISBN 7-80734-077-0/X·27　　定价:30.00元

出 版 前 言

当人类跨入21世纪的时候,科学研究的方式发生了很大的变化,已经进入了多学科交叉和团队协作研究来解决全球性重大问题(如全球气候变暖、生物多样性损失、环境污染、水土流失等)的新时代。生态经济学作为一门倡导从最广泛的角度来理解生态系统与经济系统之间复杂关系的新兴交叉学科,最近十多年来得到了迅速的发展,其在可持续发展的定量衡量、环境政策和管理、生态系统服务评价、生态系统健康与人类健康、资源的可持续利用、集成评价和模拟、生活质量及财富和资源的分配等方面的研究取得了突破性进展,对理解和解决环境问题做出了巨大的贡献。

个人能否成才通常取决于智商、情商、健商和机遇等许多因素,其中健商最为重要,"一个人做对的事情比做对事情更重要"指的就是一个人要有健商。一门学科的发展与此有许多相似之处。我国西北地区经济发展落后,生态与环境脆弱,从生态经济的角度来理解环境问题的病因,探询生态系统与经济系统和谐发展的机制,找寻积极而有效的行动对策措施,无疑是正确的方向。在知识创新和文化创新的背景下,中国科学院寒区旱区环境与工程研究所与兰州大学、西北师范大学等高等院校的一批对生态经济问题有浓厚兴趣的青年科研人员自发组织成立了一个学习型生态经济研究小组。该团队以五项修炼(自我超越,改善心智模式,建立共同愿景,团体学习和系统思考)为加强自身个人修养的要旨,目标是为解决西北地区突出的生态经济问题做出自己的贡献。这说明生态经济学科在西北的发展已经具备"智商"、"情商"和"健商"的基础,所缺的只是"机遇"。在西部做事比东部难、机遇比东部少是当前不争的事实,但要认识到机遇只垂青于有准备的头脑,我们需要创造条件,等待机会。切莫在机遇来时,因自身条件限制而不能抓住,空悲叹。

如何创造条件?科研有它自己的规律,讲求厚积而薄发,"十年铸一剑"。任何学科的进步,都是靠一代又一代人的积累。没有旧知识的积累,就不会有新知识的拓展。对我国生态经济的发展而言,现阶段的任务主要是学习国际上的"开山斧"法。由于我国目前生态经济学科发展与国际前沿存在较大差距,要想顺利通过面前的"文献山",跟上国际前沿,找到国际上生态经济研究的"开山斧"著作,并将它翻译介绍进国内,是一种很好的厚积斧头的方式。

当然我们不能仅满足于掌握国际上的"开山斧"法,我们的最终目的是拥有自己的"开山斧"法,也就是要做出自己的创新成果。从现阶段的实际情况来看,要开创自己的"开山斧"法困难重重,但只要大家能静下心来,好好演练国际上生态经济研究的"开山斧"法,并以十年铸一剑的毅力和勇气,持之以恒,在不久的将来定能拥有自己的"开山斧"法。

为了全面、系统地总结当代生态经济研究的全貌和进展,带动国内生态经济领域的研究,提升我国生态经济学科的研究能力,我们与黄河水利出版社协商决定出版"当代生态经济系列丛书",主要包括两个子系列:①当代生态经济译库,主要翻译国际上生态经济研究方面的"开山斧"著作;②当代生态经济文库,主要反映自己的研究成果。希望通过大家坚持不懈的努力,近期内能在研究范围、研究内容、研究方法和手段等方面跟上世界生态经济研究的前沿,甚至能在一些方面结出自己的思想之果,引领风骚。

春风拂柳,抚昔追远,迎着朝晖,充满希望。

我和大家一起瞻望中国生态经济研究的未来!

2006.8.16

译 序

当人类发展接近或超过环境承载力时,为了走上可持续发展的道路,我们必须学会定义和明确计算经济增长对环境以及总福利的影响。集成环境经济核算体系全面地描述、分析了经济系统与环境系统间的耦合关系,是可持续发展定量评估研究的一个重要方向。将环境经济核算与社会核算矩阵结合起来,采用可计算一般均衡模型分析经济增长对环境、社会的影响是中国科学院寒区旱区环境与工程研究所生态经济研究小组能力建设的主要方向。因此,理解并灵活运用复杂的环境经济核算是我们能力建设的核心基础性工作,这是我们选择翻译环境经济核算方面文献的原因。

在环境经济核算的研究和实践中,联合国主持编纂的一系列集成环境经济核算手册最具代表性,影响也最广泛。到目前为止,联合国等国际组织先后颁布了三个关于集成环境经济核算体系(SEEA)的出版物,即《集成环境经济核算——临时版本》(1993 年),《集成环境和经济核算——操作手册》(2000 年),以及最新的《集成环境经济核算(草案)》(2003 年)。这三个版本在同一个总体理论框架基础上层层递进,但各有不同的侧重,新的版本并非是旧版本的替代。

我们选择翻译的是《集成环境和经济核算——操作手册》(2000 年),与 1993 年和 2003 年两个版本相比较,本书侧重于实施集成环境经济核算的具体措施,将整个核算体系划分为 10 个可具体操作的实施步骤,并配套了相关的应用软件和详细图表。此外,本书也给出了集成环境经济核算结果相应的分析方法。阅读本书,读者可在学习过程中很容易把握 SEEA 的精髓。

本书是集体的成果。其中第 1 章至第 3 章、第 5 章由徐中民翻译初稿,第 4 章、第 6 章及附录由尚海洋翻译初稿,马忠校订了二稿,兰州大学伍光和教授校订了三稿,徐中民负责校订了四稿,最后由徐中民、马忠、尚海洋讨论定稿。王康、孙克修订了手稿中的一些编辑错误;徐成琳在翻译本书的过程中承担了排版和校订输入的大部分工作,在此表示感谢。值得一提的是,本书四稿的校订是在中国生态系统研究网络临泽内陆河流域综合研究站完成的,得到了赵文智站长、张智慧副站长及站上所有工作人员的大力支持,在此表示感谢。本书的出版得到了国家自然科学重点基金项目“环境变化条件下干旱区内陆河流域水资源可持续利用研究”(No. 40235053)、国家自然科学基金“基于环境经济账户的可持续发展状况评价”(No. 40201019)和甘肃省重点学科生态经济学的资助,在此一并致谢。

本书内容涉及面广,英文原句复杂。尽管我们竭尽全力,但因学识水平有限,错误难免,敬请读者指正。

衷心希望对环境经济核算有兴趣的读者阅读本书能有所收获!

译 者
2006 年 9 月

前　言

日益增长的环境压力和不断提升的环境意识,迫切要求阐明各经济部门与环境间复杂的相互作用关系。传统的国民账户更多关注通过市场活动反映的经济行为和经济增长。为了更加全面的评价增长和发展的可持续性,需要扩大经济核算的范围和内容,增加考虑非市场自然资产利用和因自然资产的退化和枯竭而引起的收入产生能力损失。传统的经济账户对自然资产没有像人造资产一样使用通用的折旧率进行调整。既然可持续发展关系到经济和环境两方面的问题,那么在国民账户中除了制造资本消耗外还需要考虑自然资产的利用。

依照1992年里约热内卢联合国环境与发展大会(国家首脑峰会)颁布的《21世纪议程》❶的要求,联合国统计署(UNSD)1993年出版了题为*集成环境经济核算*❷的国民核算手册。这本手册以各种环境核算方法为基础,这些方法是在联合国环境规划署(UNEP)与世界银行联合举行的一系列研讨会中提出的。但是,由于对提出的概念和方法没有最终达成一致,联合国的手册及集成环境经济核算体系(SEEA)只能以在制品形式的"临时"版本发行。

SEEA曾在加拿大、哥伦比亚、加纳、印尼、日本、墨西哥、巴布亚新几内亚、菲律宾、韩国、泰国和美国试行。因为缺乏数据和对某些自然服务及其福利效应的估值方法有争议,这些研究只对SEEA中的某些部分进行了编制。结果,这些国家实施的项目中都没有包括SEEA中扩展国民账户生产边界的模块,即家庭生产及其环境影响模块、自然提供的废物处理、提供空间、提供其他生理和娱乐服务模块。此外,至少在国家层面上,对生态系统和人类来自环境服务缺失损害的估值模块很难应用。

编辑这本操作手册的目的是对有实用性的SEEA模块付诸实施提供有用的指导,这些模块是指可在合理的时间和适当的成本约束下编制,同时与世界上通行的1993国民账户体系(SNA)❸的标准保持最大程度的一致。

希望这本"操作"手册可以作为国家层面上实施集成环境经济核算的参考。它补充了联合国的手册和UNSD及其他国际、国家机构在该领域的工作。通过演示图表及相应的软件,该手册给出了实施SEEA的具体步骤。该手册主要面向数据提供者,他们可能是某些"官方"的统计机构或从事"探索性项目"的研究机构。政策制定者也可能使用本手册,讨论如何将核算结果应用于规划和政策分析中的章节对他们可能非常有用,这也是为了促进不同信息来源的部门和机构的数据提供者和使用者在相互协作中实施SEEA。

---

❶ *Report of the United Nations Conference on Environment and Development*, *Rio de Janeiro*, 3～14 *June* 1992, *vol. I*, *Resolutions Adopted by the Conference* (United Nations publication, Sales No. E.93.I.8 and corrugendum), resolution 1, annex Ⅱ.

❷ 方法研究, No. 61 (United Nations publication, Sales No. E.93.ⅩⅦ.12).

❸ 欧盟委员会,国际货币基金组织,世界经济合作与发展组织,联合国和世界银行,*System of National Accounts*, 1993 (United Nations publication, Sales No. E.94.ⅩⅦ.4).

世界资源研究所在哥斯达黎加和印度尼西亚应用了类似的自然资源核算方法。其他的核算体系，主要是实物型账户（非价值型），由一些欧洲国家（包括法国、挪威和荷兰等）设计。可以通过研究和实践进一步探究这些方法的经验以及其他 SEEA 模块的使用和有效性。UNSD 与伦敦环境核算小组（一个由来自一些国家机构和国际组织的专家组成的专家组）合作，目前已在联合国统计委员会（UNSC）指导下着手进行 SEEA 的修订。

这本手册是内罗毕（Nairobi）工作组的集体成果，该小组是 UNEP 为了促进国际上在环境和自然资源核算领域取得进展而成立的。内罗毕工作组的主要目标就是为 SEEA 的实施提供一本操作手册。小组成员由来自发展中国家、发达国家、国际组织和非政府组织中国际知名的专家组成，这些专家和他们所属的组织将在后面的"致谢"中一一列出。

本书第 1 章阐述集成环境经济核算在政策制定和决策中的应用，解释了集成环境经济核算的重要性、实施的效果及实施的必要条件。第 2 章概述 SEEA 中使用的概念并说明了 SEEA 模块方法的灵活性——可以允许选择 SEEA 中更具实践性的部分详尽编制（第 3 章中详细说明）。第 3 章阐述了如何将建立的概念转变成具体的实施步骤。在不同的步骤中，对环境保护支出的数据编制、价值量和实物量的制造资产和非制造资产的使用、环境调整的汇总指标的表示与解释都有指导建议并附表格示例。表格中列举了一系列经过构造但却是真实的数据，以便读者更好地理解计算过程。第 4 章详细阐述了森林、地下资产、渔业、土壤和空气排放物部门的账户。第 5 章讨论如何在经济和环境政策中应用集成核算的信息。这些信息可以用来评价经济运行情况，明确环境问题和环境约束，改进和评估政策。第 6 章涉及在国家层面上实施和维护 SEEA 所必须的制度安排，倡导由负责编制国民账户的组织与其他的数据提供者和使用者来合作完成。

这本手册附有界面友好的软件，该软件由一系列自动生成的方程式和经过一致性检验关联的表格组成。附录Ⅶ对该软件进行了详细说明。该软件可从联合国统计署环境统计部的网站下载（www. unsd. org/Depts/unsd. enviro），也可从恩里克 - 马蒂埃尼基金会（FEEM）的网站下载（http://www. feem. it/gnee/seeahot. html/info. html）。该软件受密码保护。

致　　谢

这本手册是内罗毕工作组成员共同努力完成的，该工作组包括以下成员：

Hussein Abaza，联合国环境规划署（UNEP），Juan Aguirre，Centro Agronómico Tropical de Investigación Ense ñanza（CATIE）；Alessandra Alfieri，联合国统计署（UNSD）；Peter Bartelmus，Wuppertal 气候、环境和能源研究所，以前在联合国统计署（UNSD）工作；Paul Ekins，Keele 大学；Salah El Serafy，国际经济顾问，以前在世界银行工作；Joy Hecht，世界自然资源保护联盟（IUCN）；Günter Karl，联合国人居中心；Brian Newson，欧盟统计办公室（Eurostat）；Saeed Ordoubadi，世界银行；Kirit Parikh，英迪拉·甘地发展研究院；Christine Real de Azua，环境核算；Fulai Sheng，世界自然基金会（WWF）；Carsten Stahmer，德国联邦统计局。

此外，第 5 章由国家经济研究所（冰岛）Asgeir Danielsson，联合国粮农组织（FAO）统计局的 Pratap Narain 起草。软件由恩里克－马蒂埃尼基金会（FEEM）编制。

同样，本书得到了其他一些人员的指导：Ximena Aguilar（智利），Heidi Arboleda（联合国亚太经社会，ESCAP），Frode Brunvoll（挪威），Ana Clemencia Cuervo Butrago 和 Jairo Urdaneto（哥伦比亚），Masahito Fukami（日本），Ole Gravgard（丹麦），Mary Jane Holupka（前 ECLAC，现 UNSD）Glenn－Marie Lange 和 Stephanie McCulla（美国），Sylvia de Perio（菲律宾），Floris van der Pol 和 Leon Tromp（荷兰），Kunt Sϕrensen（挪威），Anto Steurer（Eurostat），Prashant Vaze（英国），Graham Vickery（OECD），Rolf Willmann（FAO－渔业部）。

对于以上做出贡献的人员一并致谢！

全文的编辑工作由 Alessandra Alfiery（UNSD）和 Peter Bartelmus（前 UNSD，现 Wuppertal 气候、环境和能源研究所（德国））负责。

说　　明

联合国文献符号由大写字母和数字组成。出现这样的符号表示对联合国文献的参考。

涉及任何国家、行政区域、城市或地区的法律地位，或其当局的法律地位，或其国界或边界划分问题时，本出版物所使用的名称和介绍的材料不代表联合国秘书处的观点。凡使用“国家或地区”这一名称时，其所指范围包括国家、行政区域或地区。

缩略语

ABS	澳大利亚统计局
BOD	生物需氧量
CAP	资本存量
CAP Ⅰ	包含自然(经济)资本的资本存量
CC	资本消耗
CEPA	环境保护活动分类
CF	资本形成
CFCs	氟利昂
CNFA	非金融资产分类
CO_2	二氧化碳
COFOG	政府功能分类
COICOP	个人消费目的分类
COPNI	为家庭服务的非盈利机构目的分类
COPP	生产者支出目的分类
CPC	主产品分类
CPUE	单位作业捕获量
DENR	菲律宾环境与自然资源部
DSRF	驱动力－状态－响应框架
ec	环境能力
EC	环境成本
ECE	欧洲经济委员会
ECF	环境调整的净资本形成
ECLAC	拉美和加勒比海经济委员会
EDP	环境调整的国内净产出
EDP Ⅰ	环境调整的国内净产出(市场价格)
EDP Ⅱ	环境调整的国内净产出(维护成本)
EEZ	专属经济区
EIA	环境影响评价
EIOT	扩展的投入产出表
ENI	环境调整的国民收入
EO	行政命令(菲律宾)
EP	环境保护
EPE	环境保护支出

ESCAP	联合国亚太经社会
EVA	环境调整的增加值
EVA Ⅰ	用市场价格计算的环境调整的增加值
EVA Ⅱ	用维护成本计算的环境调整的增加值(或结合市场价格/维护成本)
FAO	联合国粮农组织
FDES	环境统计开发框架
FEEM	恩里克－马蒂埃尼基金会
FISD	可持续发展指标框架
GCFEP	为环境保护的资本形成总额
GDP	国内生产总值
GLASOD	全球土壤退化评估
GNI	国民总收入
GNP	国民生产总值
IC	中间消耗
ICEP	为环境保护的中间消耗
IEEA	集成环境和经济核算
IPCC	政府间气候变化专业委员会
IPPC	综合污染预防和控制
ISIC	国际标准产业分类
ITQ	独立转让配额
ITSQ	独立可转让共用配额
ITTA	国际热带木材协议
IUCN	世界自然资源保护联盟
KIT	皇家热带学院(荷兰)
LTO	飞机起落
M	进口
MEB	物质能量平衡表
MFA	物质流账户
NAMEA	包括环境账户的国民核算矩阵(荷兰)
NCF	净资本形成
NDP	国内生产净值
NEDA	国民经济和发展当局(菲律宾)
NFI	国家林业调查
NNI	国民净收入
NO_X	氮氧化物
NRA	自然资源账户
NSCB	国家统计合作理事会
NVA	净增加值

O	产出
OECD	经济合作与发展组织
PEENRA	菲律宾经济－环境和自然资源核算
PIOT	实物投入产出表
PSNA	菲律宾国民账户体系
SAMEA	包括环境账户在内的社会核算矩阵
SEEA	集成环境经济核算体系
SEEAF	渔业集成环境和经济核算体系
SERIEE	欧洲环境经济信息搜集体系
SNA	国民账户体系
SO_2	二氧化硫
TCE	煤当量吨
TFAP	热带森林行动计划
TSP	总悬浮颗粒物
UNCHS	联合国人居中心
UNDP	联合国发展计划署
UNEP	联合国环境规划署
UNSD	联合国统计署
USBEA	美国经济分析局
WORLD－SOTER	全球土地和地形数据库
WS	工作表
WTO	世界旅游组织
WWF	世界自然基金会
X	出口

目　　录

第 1 章　集成环境经济账户的性质和用途

1.1　为什么要在国民账户中包括环境内容

因为环境在经济运行和提供人类福利中起着至关重要的作用,所以需要采用集成的方式来解释环境和经济的关系。环境的功能包括为生产和消费活动提供自然资源,环境介质对废弃物的吸收以及为人类生存和舒适生活提供的环境服务。

传统的国民账户只是部分地解释了上述功能,集中在市场交易和反映福利产生重要因素的指标上,但它本身并不能准确测量福利。当前,自然资源新的稀缺已经威胁到经济发展的可持续能力,生产和消费活动产生的大量废弃物和污染物严重削弱了环境质量。传统账户由于没有核算自然资源利用的私人和社会成本及环境退化的成本,可能给决策者提供错误的信息,从而使整个社会处在不可持续发展的道路上。

1.1.1　国民账户中纳入环境资产

1993 年建立的国民账户体系(SNA)(Commission of the European Communities and others, 1993),下文称为 1993 SNA,是目前国际上通行的显示和编制经济数据的系统框架,其目的是为经济分析、决策和政策制定服务。SNA 的数据能够进行时序编制,可以对一段时间内的经济运行情况进行监测、分析和评价(1993 SNA, para.1.1)。通常,一个国家的国民核算体系包括两个主要分类:商品和服务的*流量*以及生产商品和服务过程中使用的资产(assets)*存量*(通常存量的别名为*资本*(*capital*))。流量和存量都以货币单位计量。建立国民账户的目标不仅是测量生产过程中的商品和服务流量(国内生产总值(GDP)或国内生产净值(NDP)),而且也测量资本存量,即一个国家的经济财富。

商品和服务的生产不仅需要环境的投入,而且本身对环境也有一定程度的影响。这些影响包括自然资源的枯竭和向环境排放的废弃物。当这些废弃物扰乱或改变与人类福利相关的自然环境系统(如空气、水等)时,就会产生污染。如果将自然环境定义为自然资本的存量,将人类对环境的利用视为来自这种存量的服务,原则上就可以采用与其他类型资本(如人造资本,包括机械、建筑和基础设施)及产品同样的方法来解释人类经济活动对自然环境的利用。

确切地说,在某种程度上,任何包括在 GDP 中的产品都将自然资本作为一种资源或废弃物的储存场所来进行利用,不考虑自然资本的核算体系将是不完全的,而且可能造成误解。自然环境对经济增长的重要性目前已不存在任何争议,显然,环境在为经济增长提供所需的资源、吸收废弃物和维持人类社会生存方面具有重要的基础性作用。任何经济核算体系如果忽略了环境,就忽略了对经济系统的功能发挥、对人类财富的产生或维持都特别重要的一个方面。

直到最近，几乎所有国家在他们的国民账户中都忽略了环境的内容。这种忽略有一些很充分的理由：第一，除了造成局部的和可逆的影响外，我们还难以察觉人类活动对环境的影响，从而无法判断这些环境影响对经济和人类福利的影响；第二，特别难解释环境对经济和人类福利的贡献，这需要运用目前还未定型的很多新方法和大量昂贵的数据。因此，把环境内容纳入国民账户的工作还不多见。

时过境迁，目前人们已经清楚地认识到人类活动对基本的环境系统和它的功能具有深远的影响，反过来人类活动也受环境系统及其功能的影响。自然环境及其功能对国民经济和人类具有重要意义。目前，已有明显的证据表明*所有*处于不同经济发展阶段的国家都有着不同程度的环境枯竭和退化。因此，本手册阐明了适合于工业化国家和发展中国家的环境核算(除非特别声明，本手册中的环境核算均指集成的环境和经济核算)。

如果不对环境和经济系统进行系统的定量和结构关系的分析，就不能了解各种各样的经济活动对环境的破坏程度，也不能知道如何弥补这些损失。因此，越来越需要在SNA中纳入环境的内容。在将环境内容纳入国民账户体系的过程中，应该视所遇到的困难为需要解决的问题，而不是难以逾越的障碍。

修订的SNA在其资产负债表和积累账户中明确地包含了自然资产，而且以卫星账户的形式引入了环境账户(1993 SNA, chaps Ⅻ and XXI)。自然形成的资产像土地、地下资产和非栽培的森林，只要社会事业机构(家庭、政府、企业或各种非赢利组织)对其拥有所有权并从中赢利，都包含在资产负债表中。拥有所有权和具有实际的或潜在的利益是判断这些自然资产是否是“经济资产”的两条准则(1993 SNA, para.10.2)，依据这两条准则来判断是否需要将这些资产包括在资产负债表和资产账户中。SNA在单独的卫星核算章节描述了SNA和环境核算之间的联系。推荐的环境账户包括与生产账户相连的以实物和货币单位计量的“环境资产”(也就是生态系统)和排放账户。这种连接是比较分析传统指标与环境调整的核算指标的先决条件。

1993年联合国统计署(UNSD)在国民经济核算手册(United Nation,1993a)中建立了一个集成的环境经济核算体系(SEEA)，首次提出了同SNA体系一致的核算环境资源存量和流量的框架体系。因此，SEEA是SNA的一个新产品，吸引人们评价经济运行的环境可持续性。自然的经济和环境资产的范围、内容及核算程序将在第2章和第3章中详细讨论。

SNA本身并未改变生产账户中自然资源的处理方法，自然资源的销售仍然部分作为增加值计入生产和收入账户中。环境成本的调整仅仅在“卫星账户”进行。SEEA的卫星账户，可以认为是在传统测量的基础上融合环境变化的一种尝试，并不更改传统账户，它们是用集成账户来补充SNA的中心账户，不改变生产边界，但扩展了国民账户的资产边界。按新的SEEA模式，在维持与SNA账户(特别是资产和生产账户)一致性的同时，修正了存量账户和流量账户[1]。

值得注意的是，这本操作手册开始并没有介绍SEEA的所有版本和模块，而只是从数

[1] 其他更有争议的SEEA版本或模块通过合并环境服务(自然资产的生产)，考虑家庭(国内)服务的生产来扩展生产边界，本书没有做进一步的讨论(见第2章第2.2节)。

据的获得和与SNA兼容的角度,描述一些试验性项目研究中得到的宝贵经验。这种兼容性主要是指以市场价格或生产成本测算产品和服务的生产和消费,而不是通过条件估值或其他相关估值方法测量它们的"效用"或对人类的福利。因此,正如本章第1.3节中进一步详细描述的那样,估计环境退化的福利影响,例如人们对预防环境损失的支付意愿,这些方法的可靠性和有效性需要进一步的研究和试验来检验。本实践手册没有建议将它们用于定期核算,特别是在环境成本—收益分析研究中。

当前的SEEA只是集成环境和经济核算的一个中间过程而不是终极阶段,是环境经济核算的"临时版本"而不是"完整版本",当前正在对它进行第一次修订。当前的SEEA提供了目前最有用和普遍接受的环境核算方法。它是一个多目标系统,尝试编制各种相关数据以便适合各种使用需要,在第5章中详细解释了这方面的部分内容。该手册的主要目的是,用相对简单的术语,解释SEEA的结构,阐述怎样编制其中一些实用的部分。本章旨在用一般术语解释,为提供各种政策相关的使用信息而编制SEEA的目的和用途。

1.1.2　环境对经济运行和福利形成的贡献

生产的目的是为了满足人类的需求并最终提高人类的福利。GDP是生产的测量,是福利的一个重要来源,但不是福利的测量。其中一个重要原因是,很多影响人类福利的货物和服务并不能用市场价值来反映。而且诸如自然灾害、科学发现、自由和安全等对人类福利有正面或负面影响的许多要素,被排除在测量经济运行的指标如GDP等之外(1993 SNA,para. 1.69)。

环境也是经济生产和人类福利重要的贡献者,这可以通过下面三类主要的环境功能来体现:

(1)资源功能:提供资源,包括为人类活动提供活动空间;

(2)废物的吸收功能:中和、分解和循环利用人类活动产生的废弃物;

(3)环境服务功能:维持人类赖以生存的生物圈,包括平流层的臭氧层,气候的稳定和遗传基因的多样性;为人类的舒适、消遣和审美提供服务。

这三种功能类型以多种形式为人类福利做出贡献,包括:

(1)通过经济生产系统的间接贡献:经济活动经常需要环境资源的投入并向环境排放其产生的废弃物。

(2)直接贡献:依靠清洁的空气和水来直接维持人类的健康;提供户外消遣、舒适和具有审美价值的旷野、景观和乡村;维持稳定和可恢复的生态系统来支持地球上人类和非人类的生物。

利用环境系统的一些功能干扰和阻止了环境系统的其他功能时,就会产生环境问题。如利用大气作为氟利昂(CFCs)和二氧化碳(CO_2)的排放地就会破坏臭氧层从而降低气候的稳定性;拦截水坝发电可能破坏下游的居民生活环境、农业和相关的文化及娱乐活动;矿物的采掘或大兴土木会对有历史意义的、具有娱乐和审美价值的景观造成破坏。这些例子也说明,环境问题的产生主要是因为在利用环境为经济活动提供资源或吸收经济过程产生的废弃物时，减少了环境系统提供其他服务的能力。当然，环境问题也对经济活动有负面的影响。

有些自然资源可以在市场上进行交易，这在某种程度上可以在传统的国民经济账户中反映。但资源的价格通常不能反映更新可更新资源的成本，更不能反映不可更新资源枯竭的真实（全）成本。自然资产和资源供给提供的服务、废弃物的吸收和其他的环境舒适度根本没有价格，所以通常被当做成“免费”商品，因此对它们的利用不能在国民账户中反映。导致在国民账户中呈现实际商品交易的价值时，低估或忽略了这些交易产生的环境成本（环境枯竭和退化）。GDP 或其他的指标中尽管包含一些自然资本消耗的内容，但是并没有作为一种重要的生产成本来核算。

GDP 中同时包含了一些人造资本消耗的内容，在 GDP 中扣除人造资本消耗的估计价值就得到一个新的指标 NDP，它能更好地反映生产的经济可持续性状态。对国民账户进行环境调整的一个主要目的是采用与处理人造资本消耗同样的方式来核算自然资本的消耗。

另一个问题是，自然（非制造）和制造资本的消耗能在多大程度上反映生产和收入形成的长期可持续性。未来经济的可持续性依赖于利用不同类型的资本，具体而言，就是看哪种资本能够在某种程度上再生和被其他的生产要素所替代。弱可持续性就是假设制造资本和非制造资本之间的完全替代性，并容许某些资本形式互补。弱可持续性强调不减少总资本数量，而强可持续性要求完全保护不可替代的自然资本。这些内容将在第 1.3 节环境核算结果的使用部分进行更详细的讨论。

无论社会发展处于工业化或发展中的哪一阶段，环境都对社会和经济的生产和福利有贡献。资源导向性活动在发展中国家的作用比发达国家要重要得多，发展中国家的政策更多关注的是自然资源枯竭。发达国家更依赖于发展中国家所提供的自然资源，因而更加关心自身因污染造成的环境退化问题。然而，发达国家和发展中国家都经历了本身区域内的环境枯竭和退化。对全球环境问题而言，所有国家都应按照“共同但有差别的责任”来关心自己对这些环境问题的贡献❶。

环境退化对人类福利有明显的负面影响。正如前面关于 GDP 测量部分阐述的，国民账户并不能测量福利本身，但很好地揭示了福利的产生。比如，环境资产存量的枯竭和退化核算指标（实物或货币单位）提供了我们保持环境功能和其福利贡献这种长期能力损失的信息。同时，该类指标可以促进发挥政策作用，从而改善环境和增加福利。在 SNA 体系下强调将资产边界扩展到包括环境资产，反映了对保护资源存量和相应的国家财富的关注。不过，国民核算体系的基本目的是编制收入和产品的流量账户，以及核算这些账户内部及外部流量的量值，包括 GDP、国民收入、增加值、消费、储蓄和投资、进出口、财政平衡及国际收支平衡。对宏观经济政策分析来说，这些指标都是基本信息。

集成环境经济核算体系提供了一个更广阔的视点来了解经济的过程和结果，集中在存量、流量及它们的可持续性（参考第 5 章）。同时，这些账户也提供了关于经济结构的部

---

❶ 被地球峰会采纳的环境与发展里约宣言的原则 7(United Nations, 1993b, resolution 1, annex I)，表述为“……考虑到对地球环境退化的影响程度不同，各国有着共同但有差别的责任”。发达国家认识到其社会对全球环境的压力，以及他们所掌握的技术、财力资源，承认他们应该为国际上寻求可持续发展承担责任。

门信息和环境资产的组成信息。在此基础上对不同的生产、消费和投资过程进行详细的宏观经济汇总，而且评价这些过程产生的环境成本，这是改变那些环境上不健全的生产和消费模式的前提条件。

1.2　国民账户的调整

当前已有很多研究方法可以在国民账户框架下考虑环境的内容。本手册不是详细分析这些研究方法，而主要是把 UNSD 开发的 SEEA 作为一种总括体系来说明。正如第 2 章所述，UNSD 所开发的模块化的 SEEA 容许不同的国家或地区根据自身的不同情况对 UNSD 的 SEEA 进行更改和调整，按这种方式，像其他的账户系统如投入产出表、实物量和价值量账户、排放账户等都可以从 SEEA 的框架下得到。因此，首先用一般的术语勾勒出环境核算的基本问题对理解环境核算体系是非常有帮助的。

环境核算体系建立的主要目的是追踪环境资源的利用，包括一段时间内（核算期，通常是一年）的资源枯竭和环境退化。图 1-1 说明了由于人类活动的影响，核算期内“环境能力”（EC）如何随时间变化。环境能力的水平是指环境系统完成上述环境功能的能力。用核算期初资源的数量（受枯竭影响）和质量（受污染和其他的退化影响）来测量（用点 X 表示）。由于环境能力包含各种各样的污染和枯竭，所以图 1-1 并不是对存在或可构筑的环境能力的综合测量，只是概念性的。但是这个概念能用于说明各种各样的环境核算程序和相关的各种估值方法。图 1-1 突出了 SEEA 应用中可以应用的一些概念和方法，这些概念和方法在第 3 章中详细阐述，第 1.3 节利用图 1-1 简单地介绍了怎样使用调整的账户。

图 1-1 中指向点 1 的那条线表示没有环境保护活动的情况下核算期末的环境能力。事实上政府、消费者和企业中存在一些环境保护行动。点 2 是发生了环境保护活动后实际达到的环境能力，距离 A（点 1 至点 2）是环境保护活动造成的环境能力差异。图 1-1 表明了当前的环境保护活动并不能完全保护好环境，所以当前和过去核算期内发生的活动仍然产生从点 X 发生的退化。

点 3 表示包括环境保护活动在内的所有“当前”经济活动并不消耗或损害自然资本时环境能力应该达到的水平。现实中，可以认为当前活动已经造成的当前和将来核算期的枯竭和退化。部分损失（排除对将来核算期的环境影响）可用距离 B（点 2 至点 3）表示，也就是当前活动造成的核算期内的环境枯竭和退化。此距离代表核算期内生产和消费活动产生的影响。这些生产和消费活动在 SEEA 和 SNA 中都有度量。

如果环境的确受到过去活动的影响，那么即使当前的活动不进一步损害环境，环境也可能恶化。例如过去核算期内排放的污染废弃物需要一段时间在各种环境介质（土地、水和空气）中积累，才能开始改变环境系统的功能。当然环境介质中累积的污染物浓度要对人类的健康产生明显的影响，可能还需要一段时间。图中的距离 C 表示仅由于过去遗留的环境影响导致的当前环境能力退化。

最后，期初的环境能力可能是环境不可持续的，也就是环境能力的状态 X 低于环境可持续性的水平 S。在这种情况下，与点 S 对应的点 5 代表可持续性的目标，也就是说，

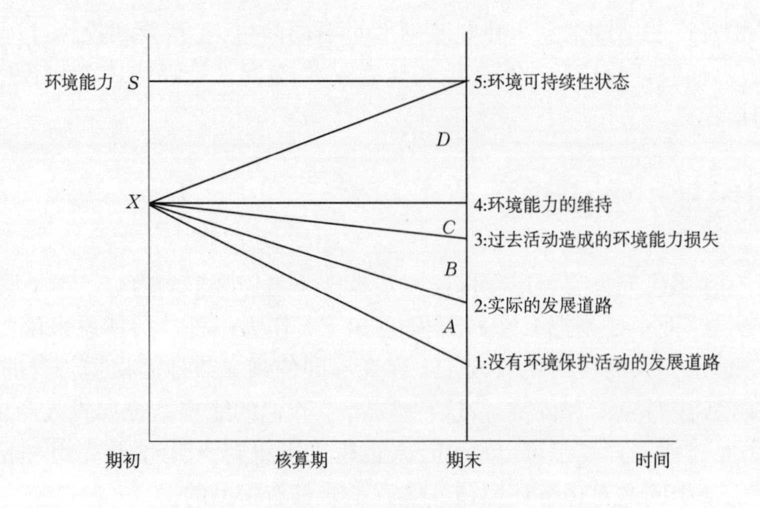

图 1-1　核算期间环境能力的发展变化

注:距离 A 表示环境保护(当前和过去保护活动的影响)所保存的环境能力;

距离 B 表示当前(核算期内)人类活动和自然事件造成的环境能力损失;

距离 C 表示过去的活动/事件造成的环境能力损失;

距离 D 表示增强环境能力达到期望水平,特别是超过核算期初环境能力水平(X)的长期可持续目标。

来源: Van Dieren(1995),p.248。

为达到环境可持续性的状态,将需要环境投资(用距离 D 表示)。恢复环境质量到可持续性状态的成本被视为"环境负债"。"环境负债"由过去和现在的人类活动产生,但将由现在和将来的人承担。环境负债可以在负债核算中进一步考察,由于当前的 SEEA 主要关注有形资产的非金融账户,不包括负债,因此本手册没有详细的讨论这一问题。

假定图 1-1 中纵轴上的距离代表的环境影响具有实物单位,但将这些环境影响充分集成到国民账户中仍需要借助它们的货币价值。表 1-1 展示了几种估值方法,呈现了与图 1-1 中的距离/能力对应的数据分类,并按货币估值和实物度量进行了区分。值得注意的是,为估计环境退化成本的价值,需要先对污染(或排放)和枯竭(或自然资源利用)进行实物测量。不论环境退化的实物测量是否可以用于调整国民账户,它总可以在环境管理中发挥很大的作用。表 1-1 同时呈现了不同的估值方法并突出了本手册中推荐的方法。

不同的估值技术在第 2 章和第 3 章中进行了详细概括。就文献中讨论的货币化环境影响,表 1-1 简单总结了不同的估值和成本分类。在国家层面的核算中并不推荐利用一些有争议的方法进行环境*损害估值*(如条件估值方法、旅行成本法和享乐定价法,尤其是在项目和工程中的成本—收益分析中)。这些方法可以在实践研究中应用,在国家或区域尺度及特定部门中用来评价当前活动(距离 B)或过去活动(距离 C)所引起的环境损害。

表1-1　环境距离和估值方法

环境距离	描述	单　位		估值方法			
		实物度量	货币估值	损害估值	避免/预防	恢复	市场(价格基础)估值
A	实际的环境支出	n.a.	+	n.a.	+	+	+
B	当前活动所造成的枯竭和退化(排放物)	+	+	(+)	+	+	+
C	过去活动所造成的枯竭和退化(排放物)	(+)	(+)	(+)	n.a.	(+)	n.a.
D	达到可持续性目标的恢复	(+)	(+)	n.a.	n.a.	(+)	(+)

注: +表示相关的估值方法和计量单位可以用来计算环境距离;n.a.表示相关的估值方法和计量单位并不适合用来计算环境距离;(+)表示本手册并不推荐用它来进行估值和距离测量,粗线条方框部分表示在当前的集成核算中经常使用的市场和维护成本的估值方法。

*避免和防护成本法*是SEEA维护成本法中推荐用于捕获环境污染(排放物)的估值方法。维护成本是在核算期内为避免残余物排放及其他活动引起的环境退化应负成本,对应图1-1中的距离*B*,也就是当前的生产和消费活动(排除自然灾害的影响,根据SNA的核算原则,自然灾害的影响没有作为成本记录)所引起的环境能力损失(废物吸收能力损失)。这些*虚拟*成本也可以视为那些对环境退化负责的单位为达到严格的环境规范要求需要承担的费用,除此之外,避免/防护成本也是*实际*环境保护支出的一部分(距离*A*)。

*恢复成本法*原则上可以应用于所有的环境距离。如表1-1所示,如果恢复成本是抵消当前活动环境影响的最小成本(低于避免/防护成本),则本手册推荐使用它们来测量实际的环境保护支出(距离*A*)和对当前活动环境影响的缓和程度(距离*B*)。对过去的影响或过去活动带来的影响(距离*C*和距离*D*)的恢复补偿,正如已提到的那样,同国民账户中当前活动的成本并不一致;这里没有进行深入的探讨,但可以在专门的"环境负债"研究中进行评价❶。

应该指出的是,由于缺乏废物吸收的环境服务市场,即使可以计算实际环境损失的货币价值,结果也可能同实际的或虚拟的避免或防护成本存在较大的差异。恢复成本的应用有同样的问题,如果没有找到可行的减轻当前的环境损失或者将环境质量恢复到期望状态的技术,那恢复成本可能无限大。另外,在提供经济活动对环境影响的综合信息(按货币单位加权的)方面,虚拟维护(避免/防护)成本计算可能是走得最远的环境核算系统。

*市场(价格基础)估值法*是国民账户主要的估值方法。使用实际的或"估算的"市场价

❶　积累(恢复)成本可以评价"一国偏离可持续发展有多远"(Hueting,1989)。瑞典国家经济研究与统计协会(1994)讨论了环境负债的概念。

格，将这种估值技术扩展到环境账户，同传统账户保持了最大的一致性。实际的环境支出(距离 A)由于目的是减少或防止污染，或减少可更新资源(如植树、恢复河流中鱼的存量，堵塞水分配系统中的泄漏)、不可更新资源(如对循环利用的投资、开发替代品，用可更新能源取代化石原料)的净枯竭，因而具有避免、防护和恢复活动的特征。如果是作为商品和服务的中间消耗引入，或者是环境保护资本品的折旧，可将它们解释为生产成本。作为最终需求的分类项，可视为家庭最终需求支出项，企业资本形成的支出项，对政府二者皆是。上述所有情况都是按这些商品和服务的市场价格进行估值。

为测算当前经济活动的环境成本(距离 B)，在 SEEA 体系中自然资源的枯竭用市场估值方法处理。可更新和不可更新资源的枯竭可根据枯竭资源的所有或部分经济租金进行估值。资源枯竭的估值技术包括现值方法(净利润法)、净价格方法和使用者成本法(见第 3 章专栏 5)。一方面，维护成本法是经常使用的测量当前活动污染(排放)成本的方法(距离 B)，同时，如果广泛应用排污许可权这样的污染控制经济工具，其市场价格可能成为污染的市场估价工具。

表 1-1 展示了环境距离的分类及对应的实物和货币汇总方法，这些方法在 SEEA 模块的应用中进行了讨论，而且实证研究表明在集成核算中这些方法是实际可操作的方法。维护（避免/防护，恢复）成本法和市场估值法是估计环境保护和当前经济活动环境影响的关键估值方法，已经在表 1-1 中加框突出显示。

总之，与传统核算一致，本手册探讨了核算期内由经济活动引起的环境枯竭和退化的测量问题。由于环境损害估值方法上的争议和追踪当前损害的因果联系存在困难，当前的 SEEA 体系仅测量在核算期内发生的经济活动引起的环境枯竭和退化，并不尝试评价当前/过去核算期或国家边界外的环境损害。污染的维护成本及自然资源枯竭的市场估值用于测量核算期内经济活动引发的环境成本。测量的环境成本反映了环境能力的损失，可以认为是将(制造)资本消耗的概念扩展到自然资本的“消耗”(或损失)。这两种类型的资本消耗都影响生产和消费的长期可持续性，因此在计算环境调整的总量指标时需予以扣减。

在图 1-1 中，垂直轴上的计量单位都是按实物量单位设计的，如前所述，无论是否调整国民账户，得到当前可靠的关于环境的实物数据对有效的环境政策和管理都相当重要。但这并不意味着在建立环境和经济之间联系前，就需要拥有全面详尽的环境数据。挪威已经在自然资源环境账户方面做了大量的工作，而且其建立的环境核算体系在经济和环境分析方面都得到了广泛应用。根据他们的经验，建立环境账户并不一定需要收集所有地区的数据，而只需要集中在对经济和环境政策最重要的地区上。那些统计力量比较薄弱、刚开始探讨建立环境账户的国家和地区更应如此。需要注意的是，采用选择重要地区的方法不能进行综合性的宏观经济汇总。

在 SNA 和 SEEA 中生产(供给和使用)账户的核心都是依据标准的产业分类建立的投入产出结构。从政策制定的角度考虑，无论是实物量还是价值量账户，也不论是资源(产业投入)还是污染(产业产出和最终需求)，都必须将环境信息同经济活动引起的枯竭和污染等环境影响联系起来。相比仅计算绿色 GDP，将环境账户如此分解对环境经济政策分析和一体化的环境管理来说具有更重要的作用。

1.3　集成环境经济核算结果的使用

环境数据是环境核算最基本的原始资料，同时也是环境政策分析的基础。采用适当的估值技术将环境数据纳入 SEEA 体系中，就能够对传统的国民账户做出合适的补充。当前的国民账户已经成为宏观经济和政策分析的主要信息系统。SEEA 作为 1993 年 SNA 的一个卫星系统，提供了一个辨明环境对经济的贡献，表明是否可持续利用环境的框架(能维持将来环境对经济的贡献)。为了详细地阐明环境和资源核算与政策的关系，前面引入的对传统账户的扩展将与怎样利用各种调整指标一起进行进一步讨论。

1.3.1　环境支出

大多数工业化国家都收集环境支出(图 1-1 中的距离 *A*)方面的数据，这通常被认为是一种承担环境责任的表现。然而，需要从一国特定的环境状况和处理这些状况的有效性背景下来认识较高并且逐渐增加的环境支出。多数国家、政府、产业甚至家庭都按照谁污染谁付费的原则对环境的影响承担直接责任。直接环境行动的成本相对容易评价。但随着关注点从终端的环境控制转向由于商业和环境方面的多重原因而引入的集成清洁技术时，分离环境支出的难度就越来越大。

尽管有这样的发展变化，还是很容易辨明许多环境支出。SEEA 意图在一种活动分类当中(附录Ⅱ中的环境保护活动分类)把环境保护活动及其相应的支出分离开来。从企业、家庭和政府部门收集这些资料非常重要，因为：

(1)在评价各主体的竞争性和经济运行时，注意到环境保护支出是一种成本。这些成本是各产业为响应环境规范而承担的费用。环境政策和管理体系就是寻求改变技术和经济活动的模式来减少这种成本。

(2)意识到环境保护的*机会*也是成本。一个部门的成本是另一部门的利润，预测环境保护部门是未来增长最快的产业。环境保护支出的信息有助于决策者辨明国内的产业在增长中的受益情况和该产业参与国际竞争的竞争力大小。

1.3.2　环境能力损失核算(图 1-1 中的距离 *B* 和 *C*)

1.3.2.1　自然资源的枯竭

对于那些发展政策是资源导向型的国家，建立详细的资源核算特别重要。但仅统计由于资源利用所产生的收入，而不定量衡量其收入产生能力的损失，对政策的分析可能有误导。事实上，当前几乎所有的国民和企业核算中，对制造的财富(资本)消耗核算已成为一种惯例，这里需要将资本的概念进一步扩展到“自然资本”。目前，特别是在发展中国家，已经开展的大量研究显示未经调整的国民账户与该国真正经济运行情况的评估结果存在差别。在下列站点中，可以找到有关集成环境经济核算的研究成果：www.panda.org/

resources/publications/sustainability/mpo/accounting/studiesindex.htm。对合理的资产管理而言,自然资源的枯竭必须被当做资本消耗而不是增加值。

1993 SNA 已经在生产账户外,(有形)资产账户中记录了"经济"自然资本的枯竭。正如本手册第 2 章中详细阐述的,在 SEEA 中,这种枯竭被视为生产成本,并记录在生产和收入账户中。也就是说,在传统的制造和"固定"资本概念的基础上,通过扣除自然经济资本的消耗,在 SEEA 中引入了更广泛的成本和资本维护的概念,这可以更好地评价生产的经济可持续性。

1.3.2.2 污染,环境的退化(排放物)

由于缺乏市场及经济活动未明码标价的效应,污染和其他环境退化的成本并不如枯竭成本那样容易计算。人们感知的污染和其他环境退化对人类健康和福利的负面影响并不会因为它们外部性的存在而小些,得到反映污染和环境退化对身体的潜在影响程度和经济价值(根据相应的维护成本计算)的指标,并与引发它们的经济活动连接起来,这对政策制定者来说非常重要。与自然资源一样,根据账户的投入—产出框架,需要将污染和环境退化(排放)的成本记录在引发它们的经济部门的账户结构中。

估计对因自然资源枯竭和污染引起的距离 B 和距离 C 的环境能力变化,能使政策制定者注意那些具有高度政策重要性的环境能力的变化。对这些估计距离的估值可以使决策者进一步使用这些结果来评价环境成本,调整核算总量指标,模拟环境政策和改善项目评价。下面将依次讨论这些应用。

1.3.3 调整核算总量指标

一个国家 GDP 的相对水平、经济部门构成及增长率是反映国家经济运行情况和结构变化的重要指标。然而,因忽略了经济活动的环境影响,这些指标高估了经济运行情况,提供的只是一张扭曲生产和消费模式的图片。

按核算惯例,如果不扣除资本消耗,总收入或总产品就不能表征一种经济可持续水平。这里有很多理由证明广泛利用 GDP 来估计经济增长和跨国比较的有效性,尽管制造资产折旧是一个有限的、不确定的量,但它也是证明 GDP 有效性的众多理由中的一个。通常认为,忽略制造资产折旧的有限性和不确定性,并不影响增长率和跨国收入的比较。环境退化可以视为总收入的抵消项,但它在国与国之间、年与年之间变化非常大,并不能假定成标准的大小来进行时间和空间上的比较。将枯竭和污染的成本作为自然资本的消耗,并与制造资本的消耗一起从 GDP 和国民总收入(GNI)中扣减,可以得到环境调整的国内净产出(EDP)和国民收入(ENI)。

环境调整更真实地度量了创造的财富和消费的商品和服务。当环境成本的增长率大于 GDP 的增长率时,EDP 的增长率将低于 GDP 的增长率。核算自然资本消耗的成本,不仅可以提供 EDP,而且还可以提供一个总量指标,环境调整的(净)资产形成(ECF)。也可以同时计算 ECF 的相似指标,也就是"真实"或净储备(World Bank,1995)[1]。

正的净资产形成是维持当前的生产水平和经济可持续性的根本。在发生环境能力损失的情况下,采用 ECF 而不是未调整的净资本形成,是表明当前是否达到可持续性的一个更合适的指标。

按这种方式确定的可持续性标准通常假设自然资本和人造资本之间存在完全可替代性[2]。测量真实储蓄和 ECF 的一个谨慎解释是:当它们为负值的时候,一定表明经济发展是不可持续的,反映动用了基本储备或蚀本;当它们为正值的时候,表明环境的损失少于净储备或投资,这时候的经济是否可持续将依赖于自然资本的损失是否可以完全由人造资本所替代及当前的损失是否抑制将来的生产或福利。由于当前不完全理解生态系统的功能,除非在任何状态下都可以令人信服地说明存在可替代性,否则出于谨慎性原则的考虑,不能简单假定存在可替代性。因此,真实储蓄和 ECF 的价值在判定不可持续性中的作用要超过判定可持续性中的作用。

另外值得注意的是,资源枯竭的货币价值依赖于资源消耗的实物量和资源的市场价格。资源的市场价格同许多价格一样并不是完全竞争的,年际间价格的市场变化并不与资源的稀缺性相关。因此,下面的情况很有可能发生,资源利用的实物量增加,而其价格却下降。尽管事实上提取利用了更多的资源,但环境枯竭成本却呈现下降趋势。为了避免被这种不正常的结果所误导,经常同时采用实物量数据和货币估值数据来共同表明枯竭的状况。采用不变价格测量和"重估值"(捕获了价格变化带来的收益和损失,见第 3 章)目的是为了计算制造资产和非制造(自然)资产 "量"的变化而不是价值的变化。

对于那些发展主要依赖本身的矿物、土壤、水和林业储备的国家来说,编制自然资源利用和枯竭的流量账户及相应的对收入进行调整很有益处。一方面,如自然资产的销售错误地进入生产账户,从而生产被高估,错误的估计结果会误导经济政策;另一方面,由于污染的估值还存在争议,因此一些工业化国家仅编制连接污染性经济活动与残余物的实物量指标,比较有名的是荷兰的"包含环境账户的国民核算矩阵"(NAMEA),该方法得到了欧盟统计办公室(Eurostat)的大力推荐。但该方法采用价值量的核算总量指标从而没有调整环境成本。

将环境退化和枯竭处理为自然资本的消耗会涉及其他核算总量指标(除 GDP 和净投资/储蓄外)。这些总量指标中,最重要的应该是国家或地区的国际收支差额。出口产品带来的收入(增加值)显然是 GDP 的一部分,而出口和进口的差额则是国际收支差额或"对外经常差额"的一个主要组成部分。出口顺差和逆差对一个国家的汇率、国际信用度和国际财务状况有明显的影响。如果按当前的核算惯例,所有来自自然资源的收益都计

---

[1] 环境调整的(净)资产形成(ECF)与真实储蓄之间的区别在于:后者不包括通过国外资产转移形成的财务资本。然而,两个指标大体上都为同样大小的环境成本修正。是否估计人力资本的形成是另一个问题,根据世界银行的建议(1997),以教育支出的形式估计人力资本形成将增加真实储蓄,实际上是从公共和私人消费中扣减。人力资本是一个不仅包括教育的复杂主题,这里没有进一步讨论;UNSD 的国民核算人员在进一步研究这个主题。

[2] 需要注意,不同的价值评估过程意味着采用不同的可持续性概念。自然资产保护的维护成本计算采用的是不存在替代的强可持续性概念。从另一点来说,以维持收入为目的估值方法,如使用者成本补贴,反映的是不同类型资产(甚至包括金融资产)总值整体的可持续性,采用的是弱可持续性的概念(Bartelmus,1998)。对于经济资产,不同类型的可持续性对分析未来经济增长可能有重大影响。针对以往经济运行情况进行国民核算时,在缺乏自然资产枯竭或退化的替换价值时,收入形成能力的未来(贴现)损失就是资本消耗时需付出的津贴(成本)。无论该津贴是否用于再投资以及投资于何处。

为收入,那么对一个依赖自然资源出口的国家的经济健康和发展前景将会产生严重的错觉。因此,需要从商品与服务出口的国外账户中识别资源的出口是否基于不可持续的资源利用,这将给国际金融界一个非常不同的信号,表明需要让该国家对自然资源赋予更高的价值,并需要采用更具环境效率的方式来开采和利用自然资源[1]。

在 GDP 中扣减自然资本的消耗数量将影响那些将 GDP 作为分母的比例指标,国内或国外负债、还债的数量、收支平衡赤字、财政赤字、储蓄和投资、公共开支和货币供应。同时它意味着在设计结构调整计划时采取不同的方法,这些调整计划都强调提高和维护自然资本存量,并使其增加值随着资源的开采而增长。

不应该忽视的是,环境修正的账户具有按经济部门(不仅仅在宏观经济水平上)详细分解调整指标的能力。在中观和微观经济领域,环境资源的廉价利用造成的经济结构扭曲可以用完全成本定价的方法进行说明,也就是说,将环境成本内生化到家庭和企业的预算里。在环境和自然资源保护中,命令—控制方法已证明是无效的,现已开始提倡采用市场手段来管理环境资源。所采用的一些成本内生化的经济手段包括排污费、使用税、可交易的排污许可证和抵押偿还制度等。按照谁使用/谁污染谁付费的原则,这些经济手段经常应用到那些应对自然资源枯竭和环境退化负责的人身上。环境调整的账户有助于详细说明这些手段,确定采用财政激励(补助)和抑制措施(排污收费等)的适当标准。多少成本需要内生化,这样的信息可以作为原始数据输入评价成本内生化最终效果的模型中。

核算财富及其分配,测度了可获得的生产和财政能力、国家间及国家内部间的经济实力集中度。当自然资产包含在这些账户中时,它也能增加对代际间环境分配问题的认识和理解。过去经济分析关注的焦点在存量(财富)和流量(收入)分析之间转换。1993 SNA 的修订版本中明确包含了存量/资产账户,这似乎是受人们对非制造的人类财富(也就是自然和人力资本)关注增加的驱使。

可以明确分析和运用自然财富指标的途径(Bartelmus,1996)有:

(1)所有权和财产权:完善个人财产权,或明确定义公共财产所有权,能促使所有者对公共自然资产的关心和更有效的利用。

(2)所有权的分配和公平:所有权分配的公平不仅包括国内和国际的(如全球公共地或者国际共享的资源),还包括代际间的,也就是与未来各代财富的分享。

(3)财富和生产:分析自然资本在经济生产和增长中的作用,必须考虑资本的可获得性和替代性(特别是自然资本与制造资本和人力资本之间)等短期、中期和长期的生产力影响。

(4)金融方面的财富核算:在 1993 SNA 扩展的金融账户和资产负债表中,可以探究环境负债和负债偿还等概念,即将环境恢复到未来各代所允许的状态。另外,对金融和有形(包括自然的)的财富进行"投资组合管理"也是筹措发展资金的一个有效途径(World Bank,1997)。

---

[1] 目前的 SEEA 包括跨边界污染,指污染物在本国(区域)与"余下的世界"之间的"转移"(这些转移影响对外经常差额(并不是指商品和服务的对外差额),并因而影响国民(可支配)收入(并不是国内生产总值/环境调整的国内净产出(GDP/EDP))。

对一些指标(GDP 及相关比例、投资和净储蓄、对外经常差额)进行的调整,表明在国民账户中正确处理自然资源将会使宏观经济方面的认识发生怎样的变化。在核算体系中,这样变化的含义可能是深远的,这些变化使政策对潜在财富的创造和损失比当前更敏感。

1.3.4　环境和经济政策的模拟

任何领域对政策模拟都需要根据因果关系理解政策实施的初始条件。就期望的结果和负面影响而言,政策模拟是估计政策影响的一种重要手段。

对环境政策的讨论和应用在很多国家都很时兴,关心的焦点是环境政策对经济的影响,同样,测量经济政策对环境的影响也很重要。这些影响将在第 5 章中进一步讨论。集成环境经济核算体系对预测这些影响及间接影响极其重要。这样的核算体系详细地勾勒出经济系统中物质和能量的投入以及经济系统排放的废弃物,从而提供了模拟环境政策对整个经济影响的基本框架。

前面已经提到,SNA 中供给和使用账户的基本框架是投入产出结构,各产业的产出被区分为对其他产业的中间投入和最终需求。这种核算格式有利于确定现实的经济结构。当进一步应用模型时能考察政策实施的全面影响,就像在现实生活中一样,因为任何一个部门的变化都能通过投入产出结构影响整个经济系统并反馈回来。

投入产出系统的这种特征也就是整个系统的变化能从经济各个部分的变化中推导出来,对理解环境和经济政策对环境和经济的影响是十分必要的。例如,一项特殊的环境政策可能是针对某一污染和枯竭源的特殊经济部门,或针对作为环境改善来源的经济部门。第一轮政策对相关部门的影响只是总影响的一部分,也可能不是最重要的影响,只有当政策贯穿整个经济系统时才能得到全面的影响。而且不同的影响可能会在不同的时间才能感觉到,同时也可能具有跨边界的间接影响。当然,也可以采用投入产出分析,通过改变进出口和其他最终需求项(消费和投资)来评价政策的效果。

这些理由有力地说明,环境卫星核算体系要尽可能具有与连接的国民账户同样的投入产出结构,总量指标也需要具有相同的概念和定义。能增加新的行来反映投入初级生产部门的非制造环境商品(如空气、水、土壤和油气储备等),增加新的列来反映从这些或其他部门中向空气、水和土地中排放的物质和能量,这些物质的投入和产出可以是实物量也可以是价值量。同当前在国民账户中收入、支出和增加值间的恒等式一样,在完整的核算体系中应存在物质/能量的投入产出平衡。在这样的系统中,模拟环境和经济政策将在部门和经济整体层次上揭示这些政策对环境、经济的投入和产出的影响。连接投入产出表和环境账户主要涉及扩展核算矩阵(如许多欧洲国家应用的荷兰的 NAMEA),第 2 章第 2.3 节将对此做详细阐述。

构造完整的环境投入产出系统来模拟各种各样的环境和经济政策对整个经济的影响是一项令人望而生畏的任务,在实际工作中不必指望一步到位。对一个国家来说,从最重要的自然资源枯竭、污染和环境退化问题开始是非常有意义的。如果研究国家是一个石油或其他矿物的生产国,则枯竭是一个应该首先引起注意的问题。如果木材或渔业的生产非常重要,则首先应该关注这些资源存量的多少、可持续产量和当期的开采收获量。如果排放到空气(例如 CO_2)、水(工业污染物)和土地(有害的废弃物或不当的农业活动)中的污染物,对环境和人类的健康有严重的影响,那么这些问题就应优先处理。优先性设置可能并不容易,但却至关重要,尤其是在资源有限的情况下。区域范围中的编制处理应系统有序地进行,也就是应按照与国民账户中的投入 - 产出表相兼容的途径编制收集所需的资料。

1.3.5 改进数据的收集和项目评价

有政治意愿和足够(但不需要十分丰富)的财力物力支持,承诺用环境数据来补充国民账户,将针对重要的自然资源和环境开始一个主要的数据生成过程。这反过来可以增加公众对环境问题和环境与经济之间关系的理解,而且也可以提高环境评价的技术,以满足对容易产生环境影响的工程和项目日益增长的规划和评价要求。

环境影响评价作为一项技术,许多国家是强制实施的,然而也有很多国家进行了越来越多的实践应用。环境影响评价的目的是通过理解环境的*各种*影响(正面的和负面的)过程,并将其融入决策过程来使项目收益最大化。当然在项目实施中发生的环境枯竭和污染的费用应该计为成本,而不是习惯上计为增加值(在枯竭的情况下)或忽略不计(在污染的情况下)。

生成国民账户的环境数据需要利用的几项技术(特别是环境影响的估值技术),也同样适用于环境影响评价,反之亦然。影响评价模型更多的是采用预测模型来评价某项工程潜在的环境影响成本,而不是就已经发生的环境退化和枯竭进行事后描述。同样,正如已经讨论过的那样,很多有争议的评价技术,特别是用于环境损害和收益的评价技术,可在小范围中应用,而不适合于*国民*账户体系。

通过承诺扩展国民账户到环境账户,开发这些技术和提高数据收集能力,一个国家将向国际投资者和援助团体传递积极的信息:第一,该国正在真正承担可持续发展的义务;第二,该国正准备对环境评价需要的人力资本进行投资。

1.4 结论

从 1992 里约热内卢峰会以来,可持续发展的概念一直在环境政策的制定中发挥着重要的作用。但它是否能提供一个环境健康、社会可接受的环境政策框架尚未见分晓。这种框架的成功与否取决于框架的可操作性,可操作性主要依赖于能否建立一个既可辨明可持续发展的主要环境影响因素,又能系统地建立与影响它们的经济活动之间联系的信息系统。第 5 章将探讨集成环境经济核算怎样辅助阐述和评价旨在可持续发展的环境经济政策。

诚然,仅仅扩展国民账户使其包含环境信息,并不是治愈可持续发展过程中存在的诸多环境问题的万灵药,但它是系统评价和解决这些问题所必需的第一步。如果要使经济活动处于可持续的自然环境的支撑范围内,并使经济和环境协调发展,那么必须建立连接经济系统和环境系统的信息结构。这样的信息结构可以提高人们对经济系统和环境系统的理解,并能评价经济系统或环境系统某一部门的政策变化对整个系统的影响。建立这样的信息结构是扩展国民账户包含环境信息的主要驱动目的,也是本手册余下部分讨论的主题。

第 2 章　集成环境经济核算体系(SEEA):概述

2.1　SEEA 的目标和结构

传统的核算只是部分地关注环境在经济运行中的作用。SEEA 通过在 SNA 的供给、使用和资产账户中融入“环境资产”及其变化,分别确定与环境问题相关的支出来对 SNA 进行补充。图 2-1 中阴影区域表示传统核算在环境方面的扩展。图 2-1 表明,水平方向的供给和使用账户怎样同垂直的资产账户重叠,在重叠部分,供给和使用构成了资产存量的部分变化。

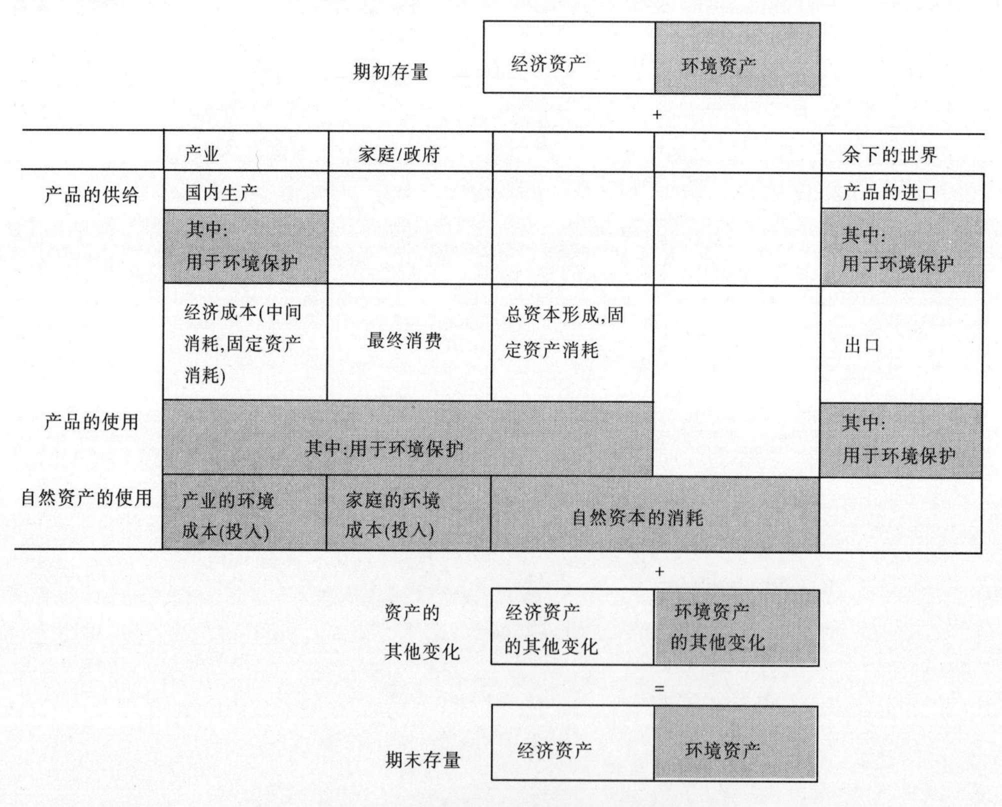

图 2-1　环境资产的流量和存量账户

在传统账户中,流量和存量在水平和垂直方向有两部分重叠:①资本形成,固定资产的获得减处置加存货的变化;②生产过程中固定资产的磨损,也就是固定资产的消耗。

如图 2-1 所示和后面第 3 章的说明,SEEA 主要在以下几方面考虑了环境方面的内容:

(1)分离并详细阐述了传统账户中已经包含的与环境相关的流量和存量,目的是单列

环境保护支出;

(2)除了包括“经济资产”外,将资产账户进一步扩展到包括“环境资产”及其内部变化;

(3)将企业、家庭和政府的生产和消费活动对自然资产(经济和环境资产)的影响作为这些活动引起的环境成本。

环境保护的支出被视为补偿经济增长负面影响的部分成本,也就是一种“预防性支出”(Leipert,1989)。尽管不是直接测量环境能力,这些支出对应于核算期内通过实际的环境保护措施所得到的环境能力(图 1-1 中距离 A)。为避免或减轻环境恶化对人类健康和福利影响的额外开支也可以作为“预防性支出”。由于定义和度量的问题,在 SEEA 中并不评价这些支出。

“经济”自然资产和增加的“环境”自然资产的区别是环境核算的核心。专栏 1 详细地讨论了 SNA 中经济资产的定义和 SEEA 中非经济“环境”资产的定义。经济资产为经济的生产和消费过程提供自然资源和原材料。环境资产则提供如废物吸收、居住地、水、气候控制和营养物流等环境服务。环境资产账户包括生态系统的实物账户。由于确定环境资产的选择价值或存在价值的估值技术存在争议,本手册并不推荐对于生态系统存量(存货)及其构成部分使用货币估值方法。对通过环境介质(如土地、空气和水等)的排放物,要进行实物型和价值型账户的测算,并同生产账户相连接。

SEEA 将自然资产的枯竭和退化视为成本,并记录在生产账户中,这是与传统账户的一个主要区别,传统账户将大部分(经济的、非制造性的)自然资产的枯竭和退化作为“其他量的变化”记录在资产账户中。这些影响和相应的成本与环境资产的退化一起在图 2-1 中用阴影部分表示。

专栏 1　经济和环境资产的定义和分类

1993 SNA 定义的*经济资产*已经包含了所有的自然资产:“①所有权为社会事业机构单独或集体所有;②可以从中取得经济利益(1993 SNA,para.10.2)。”自然资产可以是制造的(如农产品),也可以是非制造的(如土地、矿床和海洋及湖泊中的鱼)。因退化和枯竭引起的经济资产和非制造资产的可获得性变化在 SNA 中记录在“其他容量的变化”中。在 SEEA 中,它们作为成本记录在生产和收入形成账户中。

从含义上看,环境资产是指所有的非制造自然资产,其功能不是作为自然资源投入生产过程,而是提供像废物吸收的环境功能,定居地和洪水、气候控制的生态功能,及其他一些非经济的舒适性(如健康和审美价值)。由于自然资产能够同时体现经济和环境功能,因此在 SEEA 的非金融资产(CNFA)分类中(参见附录Ⅲ),经济和环境资产都包含在内,并没有区分开。

需要注意的是,这些环境成本是“估算的”,并非是产业和家庭实际引起的。它在某种意义上是(至少部分)一种社会成本,由经济主体*引起*,但并没有由引起经济主体*承担*。甚至即使个别企业核算了这些成本,实际情况也可能是这样,所有者用完了矿物储量,但在传统账户中没有作为成本处理,结果是高估增加值、收入和产量等总量指标。SEEA 对此做了纠正,视环境的枯竭和退化(排放)为成本,并将他们的价值当成资产账户中环境资产的变化,这类似于经济资产中资本消耗的处理。

一些并不能归于生产和消费过程的环境资产变化,如自然灾害和自然生长的影响,记录在“资产其他量的变化”中,这同传统账户是保持一致的。通过这种方式,SEEA 仅改变了 SNA 的资产边界,生产和消费的边界一般没有发生变化(除了在一些 SEEA 的替代版本中)❶,这样是为了使环境核算和传统核算之间的结果具有可比性。

通过结合上述的环境成本、自然资产和资产变化,SEEA 能够通过集成核算达到下列目标:

(1)环境成本的评价。成本方面, SEEA 对 SNA 做了补充和扩展:①生产和最终消费中自然资源的利用(枯竭);②生产和消费活动排出的污染物(排放物)对环境质量的影响。除了自然灾害的成本按照 SNA 的传统记录在其他量的变化中以外,这些成本对应于环境能力距离 B(当前活动引起的环境能力损失,第 1 章的图 1-1 和表 1-1 有描述)。

(2)实物账户、价值账户和资产负债表之间的链接。即使自然资源没有受经济活动的影响,自然资源的实物账户包括自然资源的总存量或储备及内部资源的变化。自然资源账户提供了与 SEEA 的存量和流量价值账户对应的实物账户。

(3)对有形财富维护的核算。SEEA 扩展了资本的概念,新的资本概念不仅包括人造资本,而且包括非制造的自然资本。非制造的自然资本包括:可更新资源(如海洋资源、热带森林资源)和不可更新资源(包括土地、土壤及地下资产(矿床))及可循环利用的空气和水资源。资本形成因而进一步扩展成“资本积累”❷ 这个具有更广泛含义的概念。

(4)详细阐述并测度了各种环境调整的总量指标。考虑到自然资源的枯竭以及由污染物排放而导致的环境退化,在 SEEA 的各种版本中,都可以计算环境调整的宏观经济总量指标,除了上面提到的资本积累,还有环境调整的净增加值和国内生产净值(参见本章第 2.5 节)。

2.2 模块构造方法:SEEA 的各种版本

SEEA 的设计具有高度的灵活性,但并未削弱综合性和一致性。这样做的目的是使各国更容易从广泛的理论方法中选择适应本国优先性、环境问题和统计能力的方法。SEEA 采用“版本”或模块的方式,并按逻辑顺序实施相关的活动来实现这个目的。如图 2-2 所示,在 SEEA 的发展过程中总共出现了 5 个版本,分别对 SNA 体系的概念和边界做了不同的扩展。

---

❶ 一个例外是将家庭消费活动中引起的环境成本转移到生产账户中的“其他产业”部分,按这种处理方式,最终消费引起的污染被处理成家庭和政府的一种负面的生产活动。

❷ 从传统指标净资本形成中扣减自然资本的消耗(枯竭/退化)得到(见第 3 章)。更精确但也更笨拙的术语是“环境调整的净资本形成”(ECF),后面这两个术语将交替使用。

版本 1 是 SEEA 基本的国民核算框架,重新定义了 SNA 的供给、使用和资产账户的形式。修改后的账户能详细地展示环境相关的经济活动。其他并不影响环境或不受环境影响的活动仅采用简单的总量指标描述。

版本 2 描述在传统账户中已有,但没有单独识别的资产流量和存量。它以版本 1 中的供给、使用表和非金融资产账户为基础。预防和减轻环境退化的环境保护活动在专门为这些账户开发的环境保护分类(CEPA)中说明(见附录Ⅱ)。

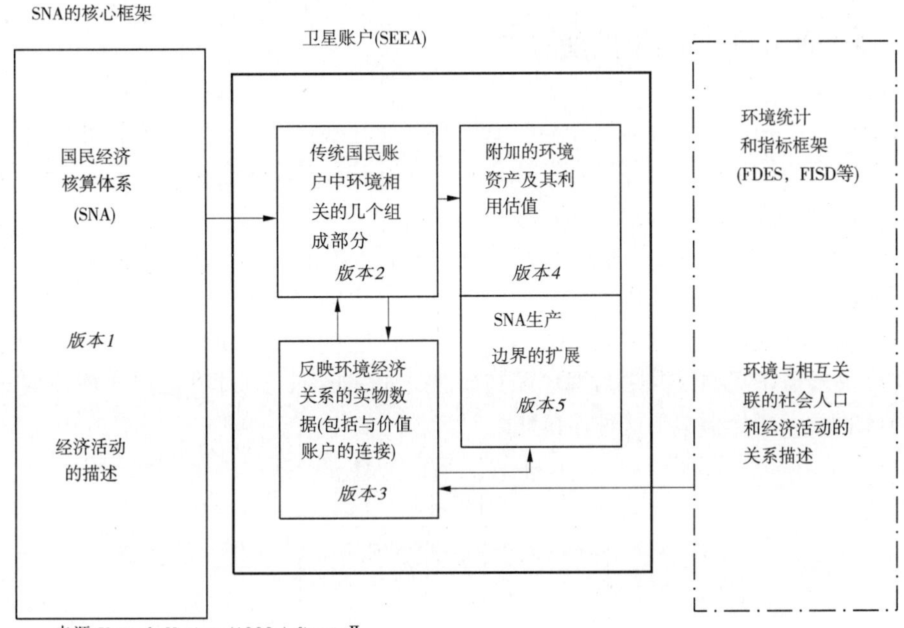

来源:United Nations(1993a),figure Ⅱ。

图 2-2　不同版本的 SEEA 与 SNA(1993)的联系

版本 3 结合了物质/能量平衡表的概念和自然资源核算的概念,提供与 SEEA(版本 4)中价值账户对应的实物账户。它同时也预示着通过充分开发的物质/能量平衡表和自然资源核算,有可能拓展与之对应的表(见第 2.3 节的描述)。

版本 4 介绍了估计自然资产价值和应负使用成本的不同方法。三种不同的估值方法(第 2.4 节讨论)在版本 4 中呈现为不同的模块。

(1)市场估值,根据 SNA 中非金融资产的核算原则进行(版本 4.1)。

(2)维护估值,估计维持自然资产现状(或可行的标准)所必需的成本(版本 4.2)。

(3)条件估值和相关的需求方面的估值,估计环境消费性服务损失的价值,即由个人承担的损失价值(版本 4.3)。

应用上述估值的结果,能够编制环境调整的指标(见第 2.5 节的讨论)。由于建议的估值方法有争议,版本 4.3 通常难以在实践中应用。此外,还很难从核算期内的总损害中确定发生的环境损害。

版本 5 中的模块进一步扩展了 SNA 的生产边界,生产边界的扩展包括分析家庭的生产及运用前面介绍的三种基本估值方法分析家庭生产对环境和人类福利的影响,并据此开发了版本 5.1、版本 5.2 和版本 5.3。进一步边界的扩展包括引入土地空间及其相关服务的生产(版本 5.4)以及消费者服务的(与生理、娱乐和其他的环境舒适性相关的)生产(版本 5.5)。基于版本 2,最后的版本(版本 5.6)在更广泛的产出和生产概念上将内部(附属)的环境保护活动外部化。

除了外部化环境保护的附属服务外,版本 5 和它的模块还没有应用在实践 SEEA 的国家计划中,主要原因是方法和数据问题,因此这里没有进一步的描述。在本手册核心章节第 3 章中主要涉及版本 1、版本 2、版本 3、版本 4.1 和版本 4.2 的内容。

2.3 集成实物和价值账户

实物型资产和商品是价值型存量和流量的核算基础,环境统计、环境和可持续发展指标尝试采用实物量指标捕获环境与经济之间的相互作用[1]。图 2-2 说明了在集成环境经济核算中,环境统计和指标是基本的数据提供者。

图 2-3 以实物形式的自然原材料和残余物(污染物)在经济和环境之间的流动,展示了经济和环境之间的相互作用关系。同时图 2-4 也说明经济和环境内部的一些过程(或是"转化")可以通过物质/能量流量账户和生态统计进行评价。SEEA 的版本 3 专门用一个独立模块来描述实物数据库与国民账户框架之间的连接,通过将数据库塑造成 SEEA 中实物量的对应部分来实现这种连接[2]。

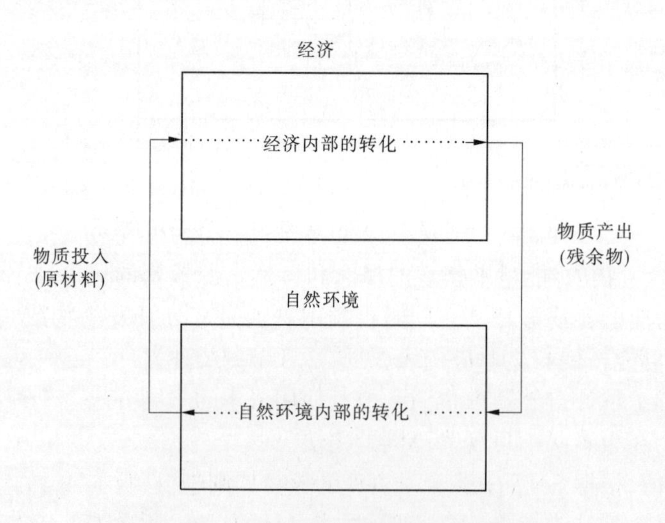

图 2-3 经济和自然环境之间的相互关系

来源:United Nations(1993a),figure V。

图 2-4 描述了环境统计、实物型账户、实物 - 价值型混合账户及价值型账户之间的联系。环境统计表为实物型账户提供了大量的基础数据,同样实物型账户也是价值核算估

---

[1] 参见环境统计开发框架(FDES) (United Nations,1984),可持续发展指标矩阵(Word Bank,1995),可持续发展指标框架(FISD)(Bartelmus, 1994a)和驱动力—状态—响应框架(DSRF)(United Nations, 1996)。

[2] 根据这种目标,物质/能量过程被加总成"产业"的活动而不是过程,引入的环境资产账户没有描述环境"转化"(如通过环境路径的污染物循环和它们对生态系统的影响),也没有将自然资源利用和排放的污染物与引致的经济活动对应起来(United Nations, 1993a, 第 3 章)。

值的基础。环境保护统计(价值型)是一个例外,它被直接记录在价值型账户中。由于充分认识到将经济活动和其所引起的残余物的实物型流量联系起来的重要性,图 2-4 同时还区分了实物型账户和实物 - 价值型混合账户。举例来说,荷兰的 NAMEA 和纯粹的实物型“物质流”账户(MFA)一样,都可以提供反映经济活动引起环境压力的信息。

实物核算中提倡采用的三种主要方法如下:

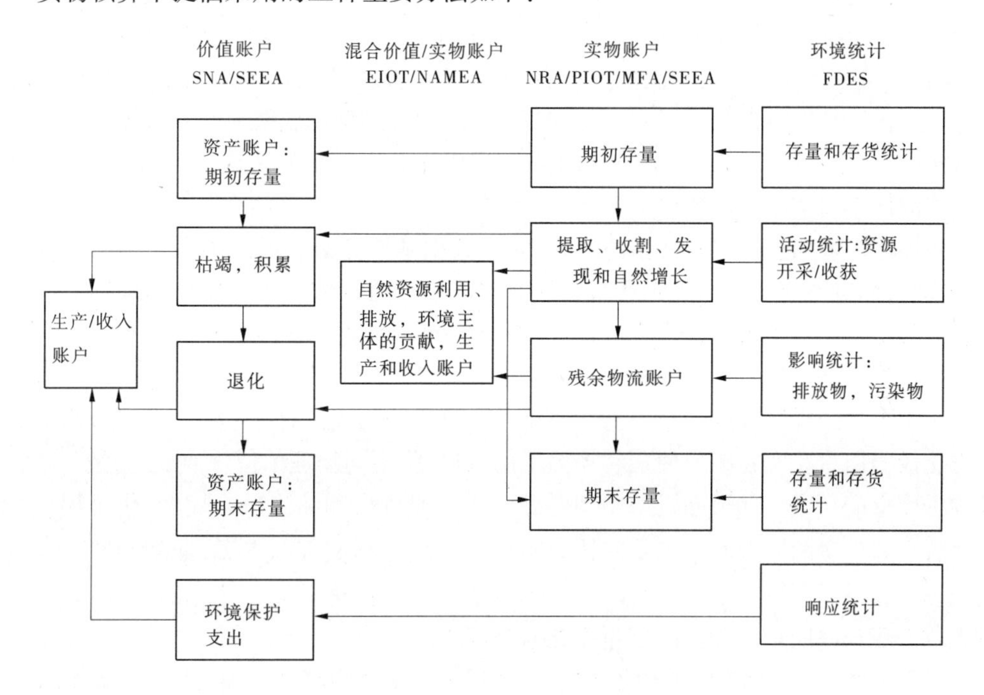

图 2-4　环境统计和环境账户之间的连接

注:ECF 表示环境调整的净资本形成;MFA 表示物质流账户;EDP 表示环境调整的国内净产出;NRA 表示自然资源账户;EIOT 表示扩展的投入产出表;PIOT 表示实物型投入产出表;EVA 表示环境调整的增加值;SEEA 表示集成环境经济核算体系;FDES 表示环境统计开发框架;SNA 表示国民核算体系。

来源:依据 Bartelmus(1997,第 116 页)。

(1)自然资源账户(NRA):采用加总的方式描述了核算期内不同自然资源的存量和利用。挪威首先开始这方面的开拓研究(Alfsen、Bye 和 Lorentsen, 1987),法国进一步开发成了自然遗产账户(Theys,1989)。NRA 允许用不同的单位(如重量、体积、能量当量、面积)测度,并且很大程度上与 SNA 的资产账户保持一致。它们也能用货币单位表示,目前已经开发成 SEEA 的一个完整模块。

(2)实物型的投入产出表(PIOT)可以扩展到包含进出环境系统的物质流,而且可更多地在部门水平上呈现这些物质流的一些细节信息(Stahmer、Kuhn 和 Braun,1998)。倘若物质投入和产出之间总量平衡,这些表也可作为物质能量平衡表(MEB)来解释。

(3)物质流账户(MFA)尝试通过测量经济系统的物质“吞吐量”来评价经济活动的可持续性,主要是采用非货币术语(如重量)来描述。MFA 描述了化学物质、原材料和生产产品的提取、生产、转化、消费和积累(Steurer,1997)。也可以包括隐含在物质流中的“生态包袱”,生态包袱是指没有以实物的形式融合在具体产品中的物质,但是它们是商品生产、利用和废弃物处置、循环所必需的(Spangenberg 等,1999)。

由于所需的数据量太大,目前的 SEEA 手册没有进一步讨论 PIOT 和 MFA,讨论主要集中在 SEEA 的一个重要组成部分,即以实物和价值量形式呈现的 NRA(见第 3 章)。

通过荷兰建立的 NAMEA,实物型和价值型账户得到了很好的传播。在估值方面,环境核算最多能做的就是将实物型的环境指标与按产业和最终消费详细分类的生产和消费的价值型总量指标连接起来(Keuning 和 De Hann, 1998)。依据产业部门不同程度的分类,NAMEA 可以看成扩展的投入产出表(EIOT)或者是以 SNA 为基础的环境账户的一部分,也就是说,NAMEA 大部分都与 SEEA 一致。实物型排放账户与对应经济活动之间的连接(参考第 3 章 WS7),使得 NAMEA 不需要在此进一步的讨论就可以作为与 SEEA 差不多的体系而实施应用❶。

在描述环境和经济之间关系的时候,实物数据是十分必要的。很多实物指标都是任意选择的,而且不能提供决策者所需要的简洁信息。同时建立在单项指标基础上的复合指标通常是采用有争议的权重方法计算(如简单的平均值计算),因此仅拥有实物数据并不足以评价经济和环境流量的相对重要性。

第 1 章已经呼吁开发针对可持续发展综合政策的集成信息,如果谈不上集成,最起码是可比较的信息。实物账户使用转换因子的方法,将不同物理单位转换成“当量”,来实现某种程度上的集成。如不同资源中的能源含量可通过煤和油当量来比较,也可根据 CO_2 当量将全球变暖的原因归于温室气体。对单个资源和类似资源来说,期初和期末存量之间的垂直联系可用图 2-4 中的实物账户列表示出来。在这里应该注意的是,污染物很难融入资产账户并同这些资产的定量变化联系起来。

可以采用一个标准的记账单位对实物数据汇总来达到完全的数据集成。在 SEEA 中是这样处理的,将环境退化和枯竭的成本记录在生产账户,同时在期初的资产存量账户中加上或减去这些值。如此,就能得到环境调整的增加值(EVA),同时也能得到环境调整的国内生产净值(EDP)和环境调整的净资本形成(ECF)。对为可持续发展服务的环境核算来说,估值是一个相当重要的问题,下一节将简略的讨论 SEEA 中应用的主要估值方法和对传统经济总量指标的调整。

2.4 自然资源和环境影响的估值

如专栏 1 所示,当经济主体控制了自然资产的所有权,并且这些自然资产能为经济主体带来实际的或潜在的收益时,SNA 才对自然资产进行货币估值。这些“经济”资产在 SNA 的资产负债表中有一个正的经济价值。所有其他的自然资产都赋予零价值,因此没有记录在 SNA 的价值型资产负债表中。这些零价值的自然资产可以并且已经在 SNA 的外部实物资产账户中记录。

SEEA 引进了 SNA 中关于经济资产的“其他量的变化”,并把它作为枯竭成本记录在

---

❶ 这里没有进一步讨论那些更有争议的将实物指标加总成对环境“主题”(温室效应、臭氧层枯竭、酸化、富营养化、废弃物)作用程度问题。

生产账户中。但是这样处理具有一定的局限性,因为在定义上排除了“经济资产”外的其他环境资产(参见专栏 1)。第 1 章第 1.2 节描述了像土地、水、空气、森林和其他的生物群等其他的资产如何影响经济运行和人类福利,这些影响没有在私人预算中核算,被归属于经济增长和发展的“社会成本”。在 SEEA 中有三种可选择的方法对这些影响赋予货币价值。

不同的方法呈现在 SEEA 版本 4 的不同模块中,第一个模块(4.1)应用市场估值的方法仅是重新整理已经包含在 SNA 资产账户中的环境变化;第二个模块(4.2)使用维护成本法估计核算期内保持自然环境不受影响所需要的成本;为评价产业和家庭所应承担的环境成本,第三个模块(4.3)将第一模块的市场估值同条件估值及相应的损害评价估值组合起来,尝试去测算福利损失而不是经济活动引起的环境成本。正如下面所讨论的,考虑到同市场交易规则和 SNA 估值体系的一致性,这三个模块回答和讨论不同的问题。本手册主要详细介绍前面两个模块中所使用的估值方法。

2.4.1　自然资源的市场估值

SEEA 的市场估值模块测量自然资源(也就是 SNA 中的经济资产)的枯竭同传统核算最为接近。它辨明了那些已经记录在传统资产账户中,以“其他量的变化”解释的自然资产的价值变化。这些变化包括自然资源的枯竭、由于污染或其他退化活动所引起的退化,在一定程度上可用这些资产市场价值的变化来反映环境影响。SEEA 将经济自然资产退化和枯竭的价值作为环境成本从 SNA 资产账户中的“其他量的变化”部分转移到环境账户中的生产账户部分。如第 3 章中将讨论的一样,超过自然的再生或更新率的枯竭和退化将作为自然资源在数量和质量上的永久性损失。原因在于自然的再生将抵消一部分资源的减少,反映了一种不产生资源稀缺性但具有经济价值的资源的可持续利用。

由于存在市场,一些有形的非制造的自然资产的存量(如土地)可以利用市场交易中观察的价格进行价值估计。但很多可枯竭的自然资产(如地下资产和野生生物群),由于很难在市场上买卖,从而缺乏市场价格。目前已有很多方法用来估计稀缺(可枯竭)的自然资源存量的价值,并可据此推断存量的价值变化,这在实际中有很多具体的应用[1]。

2.4.1.1　自然资源的净现值

经济资产市场估值的基本原则是:对于不能直接在市场上观察到价格的资源需要利用从这些资源中所提取的商品和服务的价格来估计将来的销售价值,在扣减开发成本后就得到资源的价值。如果开发期持续一段很长的时间,则必须对将来的利润流进行贴现。有些情况下,可枯竭自然资产的储备和开发权有市场,由于投资者买资产的决策将基于将来净收入流的相对现值,市场价格将高度地反映期望净利润流的当前价值。这些假设在那些开采许可权归政府所有的国家不能成立,因为这些国家制定的开采成本价格通常都低于市场价格。

[1] 第 3 章专栏 3 给出了这些估值方法的简短描述。至于对不同估值方法及其基本假设更详细的比较讨论见 Bartelmus (1998)。

根据产业(农业、林业、采矿业、建筑业等)或不同产业利用的自然资源类型来估计开发自然资源的将来利润和成本都很困难。这些估计都需要基于未来的存量(储量)、价格、开采或收获成本(经济是可得到的)的信息,即使是这样,也只能在微观经济水平上,而不能在部门水平上实现。另外,贴现率的选择也很有争议,推荐选择的贴现率在0～17%之间(Born,1992)[1]。在实际中,常使用净价格方法和使用者成本补贴方法来实际操作,这两种方法可以视为对现值计算基本规则的简化。

2.4.1.2 净价格方法

净价格方法忽略了资源枯竭带来的净利润流的未来(贴现)损失。这种简化隐含的假定前提是:假设在长期的均衡状态下,资源边际单位开采的净价格将以贴现率的水平升高,这样就抵消(中和)了贴现因素。净价格方法在各种各样的研究中(如Repetto等,1989)和国家尺度的SEEA研究中都得到了广泛应用。它定义为原材料的实际市场价格减边际开采成本(包含所投制造资本的"正常"利润率),从而可由资源的存量乘净价格得到自然资源的价值。在不可更新资源中,存量是指"探明储备",即现有经济条件下可开采,因此具有正的净价格。只要是经济上可开发利用的自然资产都可以用净价格方法来确定价值。

上面估计存量价值的方法同样可以用来估计核算期自然资产变化量的价值。大体上来讲,净价格在资源利用估值中的应用十分有效。实际工作中,核算期内资源枯竭的成本经常用核算期初和期末的*平均*净价格乘资源的枯竭量得到。

2.4.1.3 使用者成本补贴

另外一种与估计自然资产枯竭净现值方法相似的方法是使用者成本法。销售可枯竭自然资源会在有限时间内产生净利润流,如果要将这种有限时间的净利润流转化为一种永久的收入流(也就是没有时间限制),那么我们需要投资一部分利润即"使用者成本补贴"。在资源的寿命期中,使用者成本之外的利润才能当成真正的收入(El Serafy,1989)。给定核算期的净利润,计算使用者成本补贴非常直接,仅需要贴现率和按现有开采率计算的资源预期使用寿命两个参数(看第3章专栏5)。

净价格和使用者成本法在维持自然资本和收入的目标上存在差异。净价格方法倾向于高估资本消耗,因而是环境成本估计的一个上限;使用者成本补贴假设自然资本和其他生产要素之间存在完全替代性,可以认为是环境成本估计的一个下限。这两种估计方法都已应用到SEEA案例中,以确定成本估计的范围。

2.4.2 环境资产的维护估值

市场估值方法仅估计那些有"经济"价值的自然资产的价值(从SNA的角度),这些自然资产是与实际和潜在市场交易有联系的资产。市场估值方法并不能估计那些提供环境

---

[1] 见Perrce、Markandya、Barbier (1989)第6章对自然资源估值中使用的贴现率的全面讨论。

服务的环境资产的价值(如空气、荒地、水域和一些提供环境服务的生物物种,见专栏1),而且市场估值也不能捕获那些不能反映在市场价格中"经济"资产的环境功能。为了得到在自然资源枯竭之外的关于环境成本估计更全面的描述,维护成本估值方法被作为市场估值方法的一个替代或补充而引进到SEEA中。

维护成本定义为:在核算期内,为了消除核算期内的活动所造成当前和将来环境退化而必须承担的成本(United Nations,1993a, paras.50和298)。对为避免当前经济活动的环境影响而引致的成本估值,同图1-1中的距离B相对应。但它并不是指目前该活动产生的实际环境损害,而是核算期和将来的环境影响(换句话说,就是当前活动所造成的总环境能力损失)。当前活动造成的总环境能力损失只具有说明意义,要在传统国民核算中进行测量几乎不可能。

维护成本只是一种假设,因为现实中已经利用了对环境有影响的资产。维护成本方法的基本原理主要基于下面两条准则:

(1)在综合(健康环境)发展的讨论中,强可持续性概念处于中心角色地位。

(2)国民账户中重置成本的概念从固定资产消耗扩展到非制造自然资产的利用。

维护成本的概念反映了一种环境资源保护论者的环境观点。它测量在遵守环境规章的前提下,经济主体为维护环境的质量所需要承担的成本。利用维护成本估计环境的功能同国民账户中对制造资产的服务估值类似(基于固定资产的消耗(磨损)和重置)。因此,在扣减传统资产消耗后,进一步将维护成本从GDP和总增加值中扣减,能得到相应的环境调整的净指标(参见第2.5节)。

对于永久性的环境退化或破坏,维护成本的价值取决于所选择的避免、预防和恢复活动。针对环境退化可能的最终影响,专栏2列举了几种在现有技术和知识条件下可以采取的行动。估计排放残余物的应负维护成本所选择活动,将依赖于活动的相对成本和效益,换句话说,即依赖于最易获得的技术条件。因此,各产业的应负预防成本应以保存环境资产或满足环境标准最有效率的方法为基础。

专栏2　维护成本中的预防和恢复活动

可区分的五类预防环境退化和恢复环境质量的经济活动:

(1)减少或节制经济活动(放弃增加值);

(2)替代经济活动的结果,即生产其他产品和改变家庭消费模式(增加成本);

(3)通过应用新技术替代经济活动的投入,但不改变产出(增加成本);

(4)预防环境退化的活动,但并不改变活动本身(如管道终端技术);

(5)恢复环境本身,减少经济活动造成的环境影响措施。

来源:United Nations (1993a), Chapter Ⅳ.C.

2.4.3　环境服务的条件估值方法

在评价保持环境资产未受影响的假想成本中,维护成本方法集中在生产的直接影响,相反,条件估值和其他的环境服务的需求/受益方估值技术则尝试测量这类服务的损失,也就是环境的损害。SEEA在几个独立模块中(4.3、5.3和5.5)都测量了环境损害,说明由于环境退化而应当由经济主体承担的成本。这些模块组合了自然资源枯竭的市场估值(企业承担)及采用条件估值和其他方法测算的环境退化的福利影响(家庭承担)。

在项目水平的成本效益分析中,这些估值方法有一些众所周知的问题[1],这些问题也积累到国家层面上。至少在目前,在定期的国民核算中还未见这些估值技术的成功应用。然而,在针对特定地区和具体环境问题的实验性研究中,它们可能非常有用。

2.5 环境调整的经济总量指标

将传统账户资产边界扩展到包含自然资产及其变化的价值,就可以计算一系列总量指标。第3章的工作表描述了这些账户的编制及表现形式,大多数总量指标可以通过加总图2-1中的行和列得到,这些都展示在图2-5中。图2-5是在图2-1的框架基础上更清楚地展示了经环境调整的指标和它们的总量指标。为了简化,图2-5中忽略了图2-1中的环境保护行。

总量指标可以用传统会计恒等式的要素以及加总来表示:在SEEA中存在的主要核算恒等式有:

(1)供给-使用恒等式。等式如下:

$$O + M = IC + C + CF + X$$

上式表明:商品和服务的供给(O)加上进口(M)等于中间消耗(IC)、最终消费(C)、资本形成(CF)和出口(X)的和。

(2)产业 i(环境调整)的增加值。等式如下:

$$EVA_i = O_i - IC_i - CC_i - EC_i = NVA_i - EC_i$$

某产业生产的增加值(EVA_i)表示为产出和成本的差额,成本中包括了固定资产的消耗(CC_i)、环境的枯竭和退化成本(EC_i);或者也可以表示为净增加值(NVA_i)和环境成本(EC_i)的差额。

(3)整个经济的国内生产(环境调整的)恒等式。等式如下:

$$EDP = \sum EVA_i - EC_h = NDP - EC = C + CF - CC - EC + X - M$$

定义环境调整的国内生产净值为各产业环境调整的增加值(EVA_i)之和减去家庭产生的环境成本(EC_h)。

根据上述的不同估值方法及其范围和内容,可以编制各种指标,进行自然资源枯竭调整或对自然资源枯竭和环境退化同时调整。二者可通过罗马字母来区别,如EDP Ⅰ和EDP Ⅱ(见第3章)。如果进一步扣减要素收入及转移(向国外汇出减去国外汇入),再减

---

[1] 如条件估值在调查个人(意见调查时)对环境质量及相关社会价值的偏好时,面临被调查者自由骑乘的态度,对长期环境影响的短视或无知,收入状态及分配等因素的影响。而且条件估值与处于支配地位的运用市场价格的国民账户不一致,条件估值结果包含消费者剩余是适合测量福利的,但用于记录国民账户交易则不正确。其他方法如估计因环境退化增加的旅行成本或财产价值的变化可能与市场价值估计更一致,但面临着从其他社会经济影响中区分出环境影响的问题。

		期初存量	经济资产	环境资产	
			+		
	国内生产	最终消费	资本形成	资本积累	余下的世界
产品的供给	产出O_i				进口(M)
产品的使用	中间消费(IC_i)	最终消费(C)	总资本形成(CF)		出口(X)
固定资产的利用	固定资产消费(CC_i)		资本消耗(CC)		
增加值(VA/NOP)	$NVA_i=O_i-IC_i-CC_i$ $NDP=\text{sum}(NVA_i)$				
自然资产的使用(枯竭和退化)	产业的环境成本(EC_i)	家庭的环境成本(EC_h)	自然资本的消耗(EC)		
环境调整的指标	$EVA_i=NVA_i-EC_i$ $EDP=\text{sum}(EVA_i)-EC_h$		$ECF=(CF-CC)-EC$		
			+		
			其他量的变化，重估价		
			=		
		期末存量	经济资产	环境资产	

图 2-5　环境调整的核算指标

去环境影响的跨界成本,将提供一个环境调整的国民收入指标(ENI),如第 1 章所提及的那样(见第 1 章 1.3.3 部分)。到目前为止,方法和数据问题还不支持这样的估算,因此在这里不再做讨论。正如第 1 章中所讨论的,总资本形成(CF)中扣减自然资本消耗(EC)和固定资产消耗(CC),得到环境调整的净资本形成(ECF)指标,该指标是一个可用于说明经济运行不可持续的指标。

将图 2-1 和图 2-5 中的资产账户融合起来,可以生成新的恒等式来解释核算期初和期末存量的差额。其中包括:总的资本形成(CF)、制造资本和自然资本的消耗(CC 和 EC)、其他量的变化,作为重估值度量的持有资产损益。对非制造经济自然资产,这些存量反映了第 1 章中"环境能力"的自然资源部分。它们是财富的测量,反映一个国家或地区核算期初和期末经济资产和自然资产的禀赋,对分析财富的产生和分配很有用。

第 3 章 逐步应用 SEEA

3.1 引言

在 SEEA 的整体框架内,本章将环境经济核算中复杂的方法分解为一系列有逻辑顺序的操作。一系列“步骤”及“工作表”与已经在实践应用中得到检验的 SEEA 模块或版本对应连接在一起。不同来源的原始数据需要在工作表中编辑以适用于最终的账户。附录Ⅰ列出了不同的步骤和实施这些步骤所需的行动。

本章尽量避免详细讨论各种替代方法的概念。不过我们鼓励读者从最初的 SEEA 及其他出版物中进一步研究概念和方法。对于那些特别有争议的和没有解决的问题,通常在注解中给出了推荐方法的技术细节。包含主要环境分类的附录是确定不同工作表范围和内容的实用工具。在第 4 章的一些特定的环境核算中,我们采用了交叉引用的方法。

图 3-1 是图 2-1 和图 2-4 的详细描述[1],也是 SEEA 的简化表示,在原则上兼顾实物型和价值型数据。正如第 2 章中所讨论的,这里没有对 SEEA 的扩展部分(版本 5)进行讨论,但是,为了在扩展的国民收入账户和总量指标中考虑跨界污染物流量,这里新增了一个“收入账户”专栏。图 3-1 展示了各个工作表在整个框架中的位置,在第 2 章中已经以专业术语对该框架进行了描述。正如后面讨论所表明的,就实物型和价值型来说,本手册并没有建议图 3-1 中的所有部分都进行定期编制。根据数据的可利用程度和一国关注问题的优先性,对图 3-1 提供的总体框架中的各个构成部分,可以有选择地逐步实施。图 3-1 中的阴影部分表示对传统经济账户的修改和补充。

经过构造但却是真实的数据(以各国统计数据为基础)呈现在工作表中,设计这些工作表是为了促进对一系列计算和数据流程的理解。数据提供者,即负责利用众多数据源来编制环境账户的统计人员和国民核算人员,将发现本章对他们的实际工作特别有用。描述数据的来源是为了促进编制经济账户的国民核算人员与收集基本环境统计数据的环境统计学家之间的相互协作。同时,想要更好了解核算总量指标的性质、范围、内容和意义的数据使用者将发现,这种对 SEEA 的逐步描述,能相对容易地掌握环境核算的定义、概念和方法。

第 3.2 节至第 3.4 节描述了基本的又容易实施的 SEEA 模块,它们包括:

(1)分开确定 SNA 中供给、使用和资产账户中的环境支出(SEEA 版本 2,在第 3.2 节中描述);

(2)对自然资源存量和使用进行实物型和价值型的核算(SEEA 经济资产部分,版本 3

[1] 注意与“余下的世界”的交易融合在供给(进口)和使用(出口)表及国民收入账户中(要素收入、资本转移和其他国家对自然资产的利用)。另外,由于 SEEA 和 SNA 对非制造资产处理不同,还需要区分非制造经济资产和制造经济资产。

各类型资产平衡表

制造资产（包括自然资产）

非制造资产

“经济”资产

“环境”资产

制造资产的期初存量

非制造经济资产的期初存量

期初存量（仅实物资产）

供给和使用表

ISIC

产出

进口

环境保护产品的产出

环境保护产品的进口

WS3

WS4和WS5　WS6 和WS8

中间消耗

出口

最终消费

资本形成总额

总资本形成(土地)

环保产品的中间消耗

环保产品的出口

环保产品的最终消费

环境保护的总资本形成

环境保护的总资本形成(土地)

总增加值

WS1 和WS2

固定资产消耗

固定资产的消耗

固定资产的消耗（土地）

环保固定资产消耗

环保用固定资产消耗

环保用固定资产消耗(土地)

净增加值

WS1和WS2

劳动者报酬

营业盈余

生产税减补贴

环境税减补贴

WS4 和WS5　WS6和WS8

非制造资产的枯竭

WS5

非制造资产的枯竭

非制造性资产的枯竭(除土地外)

非制造资产的退化

WS7和WS8

非制造资产的退化

非制造经济资产的退化(土地)

环境调整的净增加值

WS10

收入账户

要素收入、转移支付减海外转赠

WS3

其他积累

净可支配收入

本期的外部平衡

制造资产其他量的变化

非制造资产其他量的变化

其他量的变化

自然资产的外部使用减外部自然资产的内部利用

WS7

重估值

重估值

可支配收入的环境调整

制造资产的期末存量

非制造资产的期末存量

期末存量(实物)

图 3-1　集成环境和经济核算的框架

和版本 4,在第 3.4 节中描述);

(3)测量和估值排放物,即所谓的环境外部性(SEEA 的环境资产部分,版本 3 和版本 4,在第 3.4 节中描述)。

第 3.5 节中简要介绍了环境核算结果的一些用途。这些结果更普通和广泛的政策分析及其在模型中的应用将在第 5 章中讨论。

最近在评价总物质"吞吐量"(Steurer,1997;Spangenerg 等,1999)或建立实物型投入产出表(Stahmer,Kuhn 和 Braun,1998)中,物质流的实物型核算引起了广泛关注。实物型投入产出表和更综合的物质流账户都是对现有 SEEA 的扩展,但其对数据的要求很高,这里不做进一步讨论。

3.2 改进国民账户进行环境分析

SEEA 的版本 2 确定了在 SNA 中记录在供给、使用和资产账户中的一些与环境相关的内容。以下三个步骤将贯穿于我们的实施过程中:

(1)重新排列国民账户,突出那些对环境有主要影响或受环境影响的主要经济活动;

(2)区分环境保护支出;

(3)编制制造资产账户(包括自然资产)。

3.2.1 步骤 1:编制供给和使用账户

工作表 1(WS1)展示了怎样将制造和非制造(自然的和非金融的)经济资产数据整合在供给、使用和资产账户中(见表 3-1)。这样的集成考虑了自然资产和它们的变化,因而扩展了传统账户和会计恒等式,这对环境经济分析是十分必要的。专栏 3 列出了 WS1 中的恒等式。WS1A(见表 3-2)展示了传统国民账户中的总量指标,这里采用假想数据只是为了说明。一些关键的总量指标如 NDP 及其构成是会计恒等式的一部分,这从专栏 3 括号中的数字(货币单位为千元,并进行了取整)可以看得很清楚。后面的工作表中将会详细说明在核算环境保护、自然资源枯竭和环境退化后,应该怎样修正这些总量指标。由于 WS1 中的概念、定义和核算准则在 1993 SNA 中有详细介绍,这里不做进一步的讨论。除非专门声明,SEEA 中仍继续使用这些概念和定义。

SEEA 中的表格与 WS1 中的传统账户在分类上有区别。为了环境核算,采用的国际标准产业分类(ISIC)(United Nations,1990)比较粗,而且只呈现与环境分析紧密相关的产业。与环境分析紧密相关的产业是指在国家的环境影响和对这些影响的响应(环境保护)中起主导作用的产业和经济部门(家庭和政府)。为避免传统经济数据充斥 SEEA,在建立环境账户时,应高度综合那些环境影响小的经济部门。当然,由于各地的环境条件和保护政策差异很大,产业部门的选择在国家或地区间会有很大差异。

主产品分类(CPC)版本 1.0(United Nations,1998)已经运用在 WS1 中的供给(产出和进口)和使用(中间消耗和最终消费,资本形成和出口)模块中。CPC 列在括号内是为了说明编制投入产出分析(如与环境保护活动相关的)所需要的制造 - 使用表的可能性。

但这些编制需要完整的投入产出表,这里并不推荐在试验项目中应用❶。

专栏3　SNA的核算等式

WS1中的供给和使用表反映了三个基本的国民账户恒等式(数据来自WS1A,单位千元):

(1)供给－使用恒等式:

产出(531)＋进口(72)＝(603)＝中间消耗(290)＋出口(69)＋最终消费(156)＋总资本形成(88)＝(603);

(2)增加值恒等式:

净增加值(217)＝产出(531)－中间消耗(290)－固定资产的消耗(24)

(3)国内产品恒等式,这仅是对整个经济系统而言:

国内生产总值(GDP)＝总增加值(241)＝最终消费(156)＋总资本形成(88)＋(出口－进口)(69－72)＝(241)。

合并WS1中的资产账户增加了新的恒等式,在核算期内发生的资产流量变化就是核算期初和期末资产存量之差。

对制造资产和非制造资产,恒等关系表示为:

期末存量＝期初存量＋总资本形成－固定资产消耗＋资产其他量的变化＋持有资产的损益。对制造资产,利用WS3A中的数据可得下面的恒等式:778＝713＋88－24－0.3＋1.3。

表3-1　WS1(1993 SNA:供给、使用和资产账户)

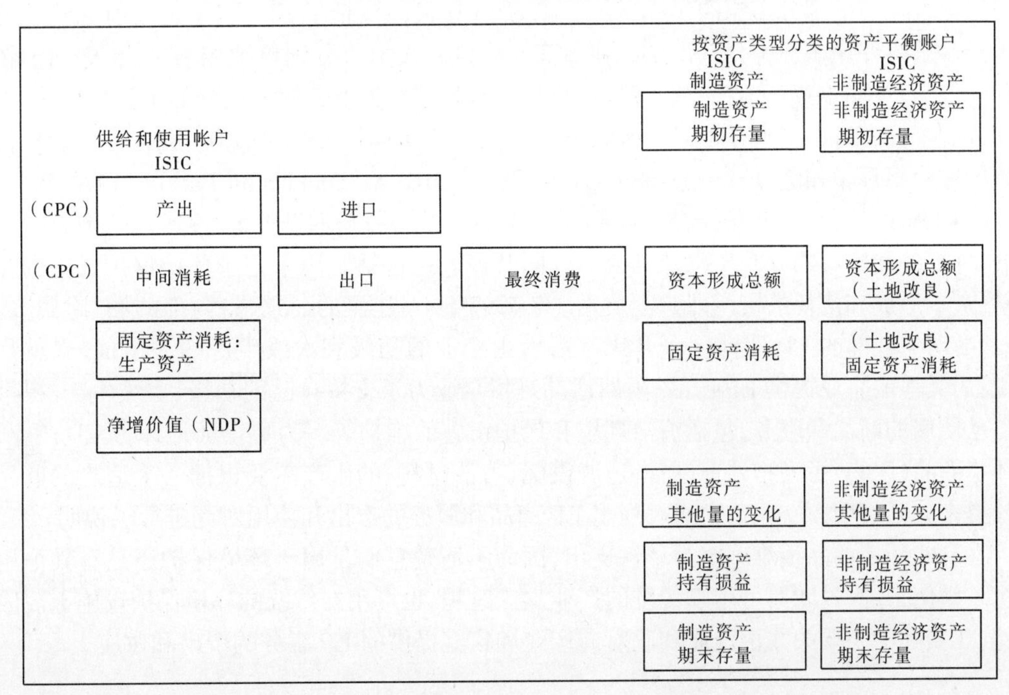

❶　可参见Nestor和Pasurka(1998)利用投入产出表编制和分析环境保护支出和环境就业的文章。

表 3-2 WS1A（供给和使用表） （货币单位）

项目	农业	林业	渔业	采矿业	制造业	电力、煤气和水	建筑	公共管理和预防	其他行业	行业总计	进口	出口	最终消费(政府、家庭和NPISHS*)	总资本形成**	总计
产出	27 127	9 183	2 201	20 608	240 810	9 618	60 808	29 329	131 786	531 470	71 840				603 310
中间消耗	13 406	4 490	1 016	11 916	174 100	4 333	27 938	10 505	42 388	290 091		69 432	155 846	87 941	603 310
总增加值	13 721	4 693	1 185	8 692	66 710	5 285	32 871	18 824	89 398	241 379					
固定资产消耗	4 528	885	272	2 303	7 436	1 307	2 311	916	3 967	23 925					
净增加值	9 193	3 808	913	6 389	59 274	3 978	30 560	17 908	85 431	217 454					
雇员报酬	2 923	2 281	235	2 140	31 701	1 014	21 553	17 904	32 837	112 588					
营业盈余	5 728	1 340	664	3 827	17 903	2 641	6 336	4	37 790	76 233					
税收减补贴	542	187	14	422	9 670	323	2 671		14 804	28 633					

注：* 为家庭服务的非盈利机构；* * 包括土地改良。

3.2.2 步骤 2：确定和编制环境保护支出账户

环境保护（EP）支出是指产业、家庭、政府或非政府组织等为避免环境退化和减轻环境退化发生后的部分影响的实际支出。在 SNA 中已经包括了 EP 支出，但没有在传统的生产和最终使用账户中分开识别。在 SEEA 中，EP 支出将分别单独作为产出、中间消耗和最终消费、固定资产消耗、资本形成、进口、出口、增加值及其组成成分的子集来核算（见图 3-1 和表 3-3）。由于有时把环境保护支出处理成防御性支出，所以并没有将它们从传统的账户指标中扣除（Leipert，1989；Daly，1989；Pearce，Markandya 和 Barbier，1990）[1]。

在 WS2 中，行方向是按类型和部门分类的商品和服务的 EP 支出；列方向是分产业的（外部的和附属的）EP 产出及其成本。同时该表还包括了用来记录环境保护设备的存量、资本形成和消耗的资产账户。同时，与 1993 SNA 建议的一致，将内部的和"附属"的 EP 活动与外部的 EP 活动区分开来。后者由企业的初级和次级生产活动组成，也就是说，为其他的企业提供 EP 产品；附属活动是指企业为了支持自己的初级、次级生产，提供自己使用的商品和服务，包括清洁环境和保护设施的维护等。为更全面地评价 EP 产业，环境商品（废物/污染物处理设备、过滤设施、清洁材料）的生产需要根据一个适当的商品分类来分开辨明，在 WS2 中通过列出 EP 商品和服务的产出和使用对此进行了说明。

有些环境商品很难确定为环保支出，因为不清楚它们是用于环境保护还是有其他用途。举例来说，过滤器可用于传统的产业加工过程，也可用在传统的环境保护设施上。因此，在实际中主要关注由产业和政府向产业和家庭提供的 EP 服务的产出和供应上。

---

[1] 在核算体系内这样扣减存在问题。由于社会中很难就什么是期望的或者什么是令人遗憾的事情达成一致意见，把防御性和其他不合意的活动排除出经济领域将相当武断地改变生产的边界。而且简单的扣减没有考虑"先行"产业（如钢铁、水泥、部分废物处理厂）的贡献：对间接增加值的扣减需要模拟，这超出了环境核算的范围。

表 3-3　WS2(环境保护支出)

ISIC	其中：外部环保产品	附属环保产品			资产账户 制造资产	环境保护的制造资产
					期初存量	环保设备期初存量
产出			进口			
	外部环保产品产出	附属环保产品产出	环保产品进口			
中间消耗	外部EP中间消耗	附属EP中间消耗	出口	家庭和政府最终消费	总资本形成	
环保商品中间消耗	中间消耗的EP商品和服务（外部EP）	中间消耗的EP 商品和服务(附属EP)	环保产品的出口	家庭和政府最终消费EP商品和服务		环保设备的总资本形成
固定资产消耗	用于EP的固资消耗				固定资产消耗	
	EP设备的固资消耗					环保设备的固定资本消耗
净增加值	外部EP的增加值	附属EP的增加值				
雇员报酬	外部EP的雇员报酬					
营业盈余	外部EP的营业盈余				其他量的变化	环保设备其他量的变化
生产税	外部EP的生产税				重估值	环保设备的重估值
补贴	外部EP的补贴	内部EP的补贴			期末存量	环保设备的 期末存量

为综合评价 EP 服务的生产，家庭、企业、政府提供自己使用的内部服务也需要辨明和测量。它们的价值将构成提供内部 EP 活动的总成本，也就是购买 EP 商品、使用劳动和资本的总成本。将所有内部或自用的 EP 活动“外部化”，也就是编制环境保护产业总产出的核算细节程序，将在 SEEA 的版本 6 中阐述。考虑到获得经济主体内部活动数据非常难，这里不进行深入讨论。

环境保护活动分类（CEPA）（United Nations, Economic Commission for Europe, 1994）是辨明环境保护产出和支出的基础，附录Ⅱ中有详细说明。CEPA 包括的活动和相应的支出，仅是对生产单位、政府和家庭所引起的环境退化的一种立即响应，并不包括与环境保护影响的间接后果或影响相对应的响应和支出，如附加的健康和旅行成本，这些成本通常并不是由引起人所承担。这些支出有时也当成防御性支出的一部分，关于环境保护的定义、分类和融资的详细信息可在欧盟统计办公室（Eurostat, 1994）收集环境方面经济信息的欧洲系统（SERIEE）中找到。

WS2A（见表 3-4）是一个编制对选择产业 EP 支出的简单例子，忽略了资产账户，仅将制造业、建筑业和卫生服务业单列出来。该表用产出和进口测算了总的 EP 商品和服务的供给（产出（23 877）加进口（1 209）），而且 EP 的总产出等于总使用（产业的中间消耗：18 034），余下的世界（总出口：101），最终消费（3 328）和资本形成（3 623）。在 WS2A 所示的经济体中，产业花费了 6%（18 034/290 091）用于购买的 EP 商品和服务。大多数当期 EP 支出主要为其他产业部门用在空气（6 954）和水（8 597）的保护上。在该案例中，显然可以对其他产业作进一步分析❶。环境税（141）主要是污染排放收费和自然资源的（过度）利用收费，如对水和化石燃料❷。环境补贴（294）包括那些购买或者进口环保设备企业的关税和税收减免，或者是直接补贴。

为获得 EP 商品和服务所需要的数据，需要针对产业、家庭和政府进行全面的环境保护调查。按环保活动功能分类进行将使这样的调查更简明易行❸。缺少这类高成本调查，也可以从相关的政府预算、各产业和家庭的环境支出特征、施工调查、工业商品统计和投入产出表中获得相关信息❹。

WS2A 中同时也包括了林业产品、渔业和矿物等自然资源消耗的成本和使用数据。尽管这些数据同 EP 并不相关，但是像 EP 一样，原则上已经记录在传统账户中。由于这可能是自然资源枯竭的原因，因此用斜体字来表明它们这种不同的交易属性。除了产业和家庭的使用外，有时国外的需求才是自然资源枯竭的根本原因。在 WS2A 中情况并非如此，可以看到，资源主要为国内的产业利用（1 286 + 1 663 + 16 962），相对而言出口较

---

❶ WS2A 中给出的数据不能测量 EP 商品和服务产业对经济的净（增加值）贡献，因为就当前的案例来说，并不清楚这些产业的中间消耗总量，在大多数案例研究中都存在这样的情况。不过如果可以获得从业人员数量的话，或产业平均销售额与增加值的比率，可据此估计 EP 产业对经济的净贡献。

❷ 这样的收费应该具有环境目的，就是说为了避免自然资产的枯竭或退化，而且这样的收费不能与“租金”或特许开采权（使用土地/水或提取地下资产）相混淆。这些租金是自然资源所有者因出让开采权而带来的财产收入（1993 SNA, paras. 7.128 - 7.133）。

❸ 联合国国际秘书处国民核算工作组对以下框架已经作了更为详细的解释：个人消费目的分类（COICOP），政府功能分类（COFOG），为家庭服务的非盈利机构目的分类（COPNI），生产者支出目的分类（COPP），（1993 SNA, annex V, part I, sects, H - K）等。为改善基本数据，修订版更加详细地解释了环保支出（EPE）。

❹ 由于不可能从商品分类中辨出环境保护产出，UNSD 支持的有关投入产出表的实际实验项目没有得出有价值的结果。不过最近在美国已用投入产出框架把 EP 融入 SEEA 框架，并且估计了 EP 产业间接带来的就业和增加值（Nestor 和 Pasurka, 1998）。这也是 Eurosat 和经济合作与发展组织推荐的方法之一（Eurostat, 1998a; Organisation for Economic Cooperation 和 Development, 1999）。

表 3-4　WS2A(环境保护支出)

(货币单位)

		各产业产出				
		制造业	建筑业	下水道和垃圾处理，卫生设施及其他相似活动	其他产业	合计
商品和服务总价值		240 810	60 808	10 345	219 507	531 470
其中:						
环保商品和服务	内部使用	315	56	672	1 511	2 553
	出售	1 534	1 257	7 568	10 956	21 324
	合计	1 849	1 313	8 240	12 475	23 877

		各产业中间消耗					进口	出口	最终消费(政府住户以及NPISHs)	资本形成总额
		制造业	建筑业	下水道和垃圾处理，卫生设施及其他相似活动	其他产业	合计				
商品和服务总价值		174 100	27 937	4 470	83 584	290 091	71 840	69 432	155 846	87 941
其中:环境保护产品	保护环境空气	569	5	184	6 196	6 954	949	88	457	1 010
	废水管理	1 024		235	7 338	8 597	110	13	799	1 340
	废弃物管理	126	11		899	1 036			1 037	752
	土壤和地下水保护	25		35	610	670	57		358	173
	减少噪音和震动	4	8	65	62	139			199	57
	生物多样性和自然景观保护	40		288	49	377	93		303	194
	防止辐射				126	126			175	97
	研究和开发				75	75				
	其他环境保护支出				60	60				
	合计	1 788	24	807	15 415	18 034	1 209	101	3 328	3 623
其中:提取的产品	森林产品	658	482		146	1 286	380	252	25	
	水产品	1 270	0		393	1 633	255	104	690	
	矿物	5 869	482		10 611	16 960	102	2 897	870	
	固定资本消耗	7 436	2 311		14 178	23 925				
其中:	环境保护固定资本消耗	965	659		1 770	3 394				
	净增加值/NDP	59 274	30 560	5 875	121 745	217 454				
	劳动者报酬	31 701	21 553	4 110	55 224	112 588				
	营业盈余	17 903	6 336	1 194	50 800	76 233				
	生产税减补贴	9 670	2 671	571	15 721	28 633				
其中:	环境税收	45	2		94	141				
	环境补贴	126	1	53	114	294				

少(252+104+2 897)。

3.2.3　步骤3:编制制造自然资产账户

为了综合评价国家财富的状态、分布和变化,1993 SNA推荐编制制造资产账户,包括制造自然资产(第1.3.3节)。由于制造自然资产可能同非制造自然资产一样拥有同样的环境功能,因此从环境的角度来看,制造自然资产也很重要[1]。这些资产是生产过程的产出,在供给和使用账户中记录为产出和投入(步骤1)。图3-1中显示了供给/使用账户和资产账户之间在资本形成和资本消耗重叠的栏目。制造自然资产和非制造自然资产在SEEA中的区分是按照非金融资产分类(CNFA)进行的(见附录Ⅲ),制造自然资产的别名是"栽培的资产"。

SNA中定义的"栽培的资产"(1993 SNA,paras.10.12 ,10.83－10.86)在SEEA仍然保留,适用于固定资产(连续使用超过一年或可以重复利用)和存货中的自给性产品。但是对某些自然资源而言,可能难以区分制造资产和非制造资产,如鱼和森林,它们可能是养殖和栽培的结果也可能是自然增长的结果。在这种情况下,必须考察这些资源是否为"社会事业机构"(家庭、政府和企业)所拥有,它们的更新是否在这些机构(按照SNA的定义)的"直接控制、负责和管理"之下。

WS3中将非金融资产分类(CNFA)中的"栽培的自然增长资产"和"人造资产"重新命名为"制造自然资产"和"其他制造资产"(见表3-5),强调环境核算集中在自然资产上。对每一资产分类的变化,WS3在括号中给出了相应的SNA编码。WS3中的任一项都能够直接编制。在实际应用中,通常重估值作为一个平衡项。专栏4介绍了完成WS3所必须的步骤。在许多实例中,资产的变化(交易量或流量)比核算期初和期末的存量更好评定。在具体某一时点,流量数据比财富的存量数据更适合于经济分析。WS3中选择部分还是全部编制项目,取决于一个国家的统计能力、研究者的分析兴趣和政策优先性。

专栏4　步骤3:编制制造的自然资产账户

(1)确定编制制造自然资产账户的产业(主要集中在栽培的自然资产上(农业、林业、渔业等))。

(2)在核算期初(财富调查及研究获得的)以当期价格估计固定资产/存货存量的价值。

(3)合并国民账户中的固定资产形成、存货变化和资本消耗的数据。

(4)评价由以下原因导致的价值变化:自然灾害和其他破坏(如洪水冲走的牲畜)(K.7)、被当局查封或罚没的损失(K.8)、不可预见的废弃或退化(K.9,如酸雨造成的建筑物和设备损坏)及其他资产分类的变化(K.12,如牧场变成建筑用地)。

(5)计算资产重估值的价值,也就是说,持有资产价格变化引起的损益。

(6)核算期末用当期价格估计固定资产/存货存量的价值。

注:括号内的编码参考1993 SNA(第12章)中"资产账户中其他量的变化"的分类。

---

[1] 下面将对1993 SNA和SEEA中有关非制造自然资产的定义做进一步讨论,其中步骤4讨论非制造经济资产,第3.4节讨论非制造的环境资产。

表3-5　WS3(价值型资产账户:包括自然资产的制造资产)

	ISIC	
	制造自然资产	其他制造资产
期初存量	牲畜、鱼、家禽、果园、种植园、木材地和其他植被的存量价值(AN.1114,AN.1221)	(AN.1,不包括AN.1114和AN.1221)
总资本形成		
固定资本形成总额(P.51)	固定资产的获得减处置的价值(也就是牲畜、种植园和果园等)、未加工自给性资产的价值	
存货变化及珍贵物品的获得减处置(P.52,P.53)	(a)对自给性的植物、牲畜或鱼,指那些没有被收割的作物、宰杀的牲畜或鱼的价值。 (b)对准备在生产过程中重复利用或连续利用的树或牲畜来说,未完成资产的价值(专业生产者提供的资产,如种畜以及苗圃等)	
固定资产的消耗(P.52,P.53)	固定自然资产价值的下降(正常的磨损)	
其他量的变化 其他制造资产的经济显露(K.4) 灾害性损失(K.7) 其他(K.8,K.9,K.12)	估计由于自然灾害、政治事件、资产使用方面资产价值正的或负的变化	
重估值(K.11)	持有资产损益	
期末存量	牲畜、鱼、家禽、果园、种植园、木材地和其他植被的存量价值(AN.1114,AN.1221)	(AN.1,不包括AN.1114和AN.1221)

WS3A(见表3-6)显示了农业、林业和其他产业栽培的资产和其他制造资产账户,其中期初存量和期末存量账户包括固定资产和存货。对农业而言,栽培的资产包括果树、种畜、乳畜、蓄毛羊、役畜及自用的动物和树(期初和期末的存量分别为3 521和3 690)。对林业而言,栽培的资产包括提供木材的林木存量以及用于中间消耗、转售的木材存量和其他自然林业产品(期初和期末存量分别为1 062和1 127)。制造自然资本财富(期初存量3 521+1 062=4 583)与农业、林业和其他产业的制造资本相比,要远小于其他制造资本的期初存量(5 139+2 352+701 391=708 882),这表明国家处于一种相对工业化的发展阶段。当然进一步分析其他的(非自然的)资本属性可以揭示国家所处发展阶段更多的信息。

制造自然资产的资本形成总额是所有成熟和不成熟的动物、树木等获得减处置的总价值,包括一些在制品,也就是果园、树木、家畜及养殖的鱼的固定资产增长。在这里增长不应看成一个自然过程,考虑到它由社会事业机构组织、管理和控制而应视为一个生产过程。在 WS3A 中显示了农业栽培的资产的总固定资产形成(274),大约是农业资本形成总额的 1/3。由于用材林木的增长被认为是在制品而记为存货的变化,所以这里没有林业的固定资产形成,这样的增长(128)大约是其他林业资本形成的一半(215 + 32 = 247)。

固定资产消耗表示生产过程中由于物质耗损和一般意外损害造成固定资产(也就是树木、动物等)使用价值的减少。对自然资本而言,已知林业中没有固定资本形成,仅农业有这种退化(-48)。其他量的变化主要由自然灾害和其他的非经济因素(战争等)引起,分别减少了农业(-21)和林业(-11)的自然资本。重估值在实践中是作为一种残余项处理的,农业和林业自然资产的重估值分别为 -83 和 -52,反映了相对于其他资产分类价格的增加,农业和林业自然资产价格在减少。作为一个平衡项目,重估值包含"统计误差",需要慎重解释。

栽培的资产期初和期末存量应按核算期初和期末购买者价格进行估值。存量的变化应当按照变化发生时的普遍价格进行估值,实际工作中,主要按核算期平均价格进行估值。

表 3-6　WS3A(价值型资产账户:包括自然资产的制造资产)

项目	农业		林业		其他产业	总计
	栽培的资产	其他	栽培的资产	其他		
期初存量	3 521	5 193	1 062	2 352	701 391	713 465
资本形成						
固定资产形成总额*	274	633		215	86 784	87 906
存货变化	47	41	128	32	-213	35
固定资产消耗*	-48	-73		-39	-23 765	-23 925
其他量的变化	-21	-33	-11	-29	-174	-268
重估值	-83	106	-52	65	1 266	1 302
期末存量	3 690	5 813	1 127	2 596	765 289	778 515

注:* 包括土地改良。

3.3　自然资源核算

这里的"自然资源"是 SNA 中"经济非制造自然资产"的简称。在 SNA 中,它们是 CNFA 分类 2(非制造资产)中定义的资产,该资产被强制赋予所有归属权,并能为它们的所有者带来经济利益[1]。它们的产品一般能在市场中估价(见步骤 5)。稀缺性原则可应用于环境资产,然而不能按照稀缺性原则区别经济非制造资产与环境资产,原因有:

(1)以物质商品的形式进入经济系统并提供中间消费和最终消费,与通常无形的环境服务,如废弃物吸收和生命支持有明显差别;

[1] 可以论证,自然资源应包括所有经济上目前可(或可能)开发的资产,而不论当前这些资源有没有明确的所有权或控制权(如海洋中的鱼类或可供商业开发的热带雨林)。不过在实际中,一般都假定政府部门将坚持对这些资产的所有权,这对这些非私人所有的资产或多或少施加了严格的所有权。所有这些自然资产都有可能提供经济利益,因此都可以被认为是"经济"资产。

(2)经济资产的市场价值通常容易获得；

(3)大多数经济资产已经在传统账户中进行分类和定义。

SNA和SEEA的一个主要的区别是SEEA将非制造资产的枯竭和退化(排放)作为生产成本记录,1993 SNA(第12章)将它们作为其他量的变化记录,称做非制造资产的经济显露、消失和增长等,仅计入资产账户而不计入生产账户。SEEA用环境成本调整了SNA中的传统生产和收入指标,得到环境调整的增加值,其加总后得到经环境调整的国内净生产(EDP)和环境调整的资本形成净额(ECF)指标(见第2章第2.5节和WS10)。在固定资产的消耗和形成中,枯竭(和退化)成本和ECF在环境调整的资产和SEEA的生产账户中建立了一座“桥梁”(重叠),如图3-1中附加方框所示。

3.3.1　步骤4:编制自然资源实物账户

WS4(见表3-7)用实物量计量单位(平方千米(km^2)、立方米(m^3)和吨(t))的形式记录了核算期内自然资产存量和变化。期初和期末存量通过核算期初和期末经济上可开发利用的储量或存量来核算,数量的变化是指资产的直接经济利用和开发,如开采矿物、伐木、捕鱼和取水等。对可更新资源而言,经济利用是包括“可持续利用”的一个总概念。可持续利用与否取决于自然资源的更新或再生、“枯竭”(代表资源的开发或生产超过长期可持续性状况(或产量))。自然资源的枯竭是环境成本中的一个概念,在步骤5中详细描述。

自然资源质量的变化影响它们的生产率和经济价值,因而质量的变化也与环境成本相关,但难以合并到量化的实物资产账户中,在工作表期末存量下专门有一阴影项对此进行说明。除土壤侵蚀外在此没有进一步讨论其他非制造资产的质量变化❶,第3.4节将对空气、水和土地中排放的污染物导致的环境(维护)成本问题进行讨论。土壤侵蚀(以吨和影响面积测量)可以看做农业和其他土地的质量变化,由于它影响土地的生产力,因此可以被明确地记录为自然资产的经济利用成本❷。

SEEA中“其他积累”和“其他量的变化”是指资产账户中的定量变化,它们依然被排除在生产账户和收入账户之外,所以并不影响增加值和收入的产生(作为成本),但它们是评价自然资源可获得性的重要影响因素。其他积累与其他量的变化是有差别的,前者主要是由经济决策或利益改变引起的自然资产变化,后者主要是由非经济原因(政治或自然事件/灾害)引起的自然资产变化。WS4A是一个自然资产分类详细的实物型自然资产账户的例子,此表明确地区分了可持续利用和枯竭,为在WS5B中计算环境成本做好了准备。下面讨论在编制WS4和WS4A中的不同资源账户时需注意的几个关键问题,关于所选自然资源更多的概念、定义和测量方法在第4章中详细讨论。

❶　在SNA中,非制造资产的质量损失被处理为“其他经济消失”(1993 SNA, para.12.33)。对经济和环境资产的退化进行实物型描述通常是环境统计系统或框架的一部分(United Nations, 1984和1991)。为了促进环境质量统计和环境核算数据之间的联系,配合本手册开发的软件还另外介绍了WS11(见附录VI)。

❷　必须注意,对经济资产和环境资产的损失、枯竭和退化的内涵有差异。例如,土壤侵蚀可以解释为土壤数量的变化,也可以解释为农业用地质量的变化,即土地退化。为了简单起见,这里通常以“枯竭”代表经济性非制造自然资产的永久损失,以“退化”代表环境资产及其功能的损失。

3.3.1.1　土地和土壤账户

期初期末的存量由那些具有所有权归属的土地面积构成,包括建筑、基础设施用地、农业用地、森林和其他林地、牧业用地、娱乐用地和相关的地表水,其他空旷地、人工水道及蓄水场所占用的面积(CNFA 2.1.3.2)。经济利用不会使土地数量减少,一个国家和地区土地面积只能由于战争或政治决策,有时是自然灾害等原因发生变化,因此这些原因造成的土地损失记录在其他量的变化中。同时,在其他量的变化中还记录土地从经济利用向环境利用的长期(与土地休耕期对照)转化,主要是因为这样的转化通常是环境政策或自然事件导致的,而不是出于经济上的考虑。

正如在"其他积累"账户中表明的,土地面积可以由于经济原因而增加(如土地开垦)[1]。该分类还包括非经济利用(环境目的)的土地向经济利用转变(如耕种、建筑等)。

WS4A(见表 3-8)显示核算期内总的(经济用)土地面积轻微减少(从 99 700km^2 到 99 600km^2),其原因是由于自然灾害使农业用地和林业用地各减少 100km^2,土地开垦新增 100km^2 的土地(计为"其他积累"的平衡项)。以林业用地减少为代价,总的农业用地增加了 300km^2。林业用地因为经济决策转向其他土地利用的有 800km^2,由于自然灾害减少 100km^2。对其他的土地分类可以做出类似的解释。

土壤退化指土壤可用数量的变化,可以作为土壤的枯竭处理。但从经济的角度来看,土壤退化的主要问题是表层土壤流失引起的土地质量变化。侵蚀作为一种土地质量变化,因此记录在 WS4(见表 3-7)中的阴影部分,由于土壤侵蚀对土地(特别是农业用地)生产力有重要影响,土壤被作为一类经济资产,分开列在 WS4A 中。侵蚀造成的土壤损失(148.8×10^6t)在 WS4A 中作为"枯竭"处理,这为计算自然资源(主要是枯竭)的总成本预先做好了准备。由于土壤侵蚀的定性和定量都比较模糊,因而几乎无法评价核算期初和期末可用土壤的总存量。这也是在 WS4A 中土壤账户仅包含土壤侵蚀条目[2] 的原因。

土壤由于拥有恢复能力可以看成可更新的资源,如一定程度的土壤侵蚀并不影响土地的生产能力(Solórzano 等, 1991)。对于其他可再生资源,只有超过可持续侵蚀量的净侵蚀损失才被 SEEA 视为生产成本。然而在实践中,估算可持续侵蚀量非常困难而且不准确,因此 WS4A(见表 3-8)中只显示总侵蚀量,即假设所有的侵蚀都造成了生产力损失。

原则上,经济活动引起的侵蚀,如因农业或经济开发(居住或工业用)对土地的出清,应与自然(如风、水)侵蚀区分开来。为计算合理的维护成本,需要区分经济活动的直接影响(不合理开发农业用地造成的侵蚀)和间接影响(如毁林将土地直接暴露于空气和水中)(见步骤 5)。为计算涉及经济和环境资产退化/枯竭的不同指标,应区分土地永久性生产能力损失与景观和生态系统退化的环境影响。本节中对土壤侵蚀的处理只是一种位置标计(有待进一步研究)而不是作为将土壤侵蚀影响融入 SEEA 的指导。土地退化复杂的测

---

[1] 在 SNA 中,土地开垦被记作"资本形成",即生产过程的产出。为简单起见,在 WS4 的实物账户中,土地开垦被计入"其他积累"项,但在价值型账户 WS5 中被分开记为"资本形成"。类似的处理是否也可应用于其他非制造资产,例如造林增加的森林资源,这还是一个未决的问题。暂时,净增的森林蓄积量在实物型和价值型账户中都记录在"其他积累"中。

[2] 由于营养损失是土地质量下降的主要原因,因此在已充分发展的营养物资产账户中,有人建议把土壤侵蚀等同于土壤营养物存量的枯竭(Royal Tropical Institute and Food and Agriculture Organization of the United Nations, forthcoming)。

量和估值方法将在第4.3节深入讨论。

典型的数据来源是地方政府、土地管理部门或制图机构的土地利用统计数据和管理记录。土地质量的数据可从农业调查、政府部门及相关研究机构获得。

表3-7　WS4(实物资产账户:非制造经济资产)

项目	不可更新资源		可更新资源		
	水资源(m^3)	土地/土壤(km^2)	地下资产(t)	森林(经济功能)(m^3,t)	渔业资源(m^3,t)
期初存量	建筑用地、耕种用地,娱乐用地	探明储量	立木体积	生物量	容量
经济利用(可持续利用、枯竭)		矿物开采(以矿石或其他加工形式测量)	伐木(t) 森林的出清(木材的损失)	总捕捞量	水的提取
其他积累	土地利用的变化 从环境向经济利用的转化 土地的垦荒(资产增加)	发现 由于技术和价格的变化对储量的重估值	自然生长 自然死亡 从环境向经济利用的转化	自然生长 自然死亡	从环境向经济利用转化(发现) 补充
其他量的变化	因自然、政治和经济原因引起的土地面积变化 经济用土地转向环境用土地	因自然灾害或其他非经济原因引起量的减少	因自然灾害或其他非经济原因引起容量减少 从林业用地转向经济利用或环境利用	自然灾害或其他非经济因素引起量的减少	因自然灾害(洪水、干旱等)引起的变化
期末存量	建筑用地、耕种用地、娱乐用地	探明储量	立木体积	生物量	容量
备注项:质量的变化*	土壤侵蚀(km^2或t)或养分损失(t) 土地/土壤污染(包括盐碱化和土地质量的其他变化)(km^2,周围的浓度)		森林病虫害、酸雨等对质量的影响	酸化和其他环境影响对水生动物质量的影响	水质变化(指数值)

注:* 质量变化的测量并不是资产账户的一部分,而是用来评价土地生产能力损失的成本。

表 3-8 WS4A(实物资产账户:非制造经济资产)

项目	土地(10^3km^2)					土壤(经济利用)(10^6t)	地下资产			
	农业用地	林业用地	建筑用地	娱乐用地	其他土地		石油(10^6t)	天然气(10^9m^3)	煤炭(10^6t)	铜(10^6t)
期初存量	25	61	4.3	2.9	6.5		1 589	9 144	93	10.5
可持续利用										
枯竭(包含土壤退化)						-148.8	-62.5	-147	-11	-0.2
其他积累	0.3	-0.8	0.2	0.2	0.2		15.2	146	24	0.4
其他量的变化	-0.1	-0.1					-13.7	-18	-2	-0.1
期末存量	25.2	60.1	4.5	3.1	6.7		1 528	9 125	104	10.6

项目	水生资源(10^6t)			森林(经济利用)(10^6m^3)		其他生物物种(10^3t)	水(10^9m^3)		
	针叶林	阔叶林	混交林	海洋水生物种	淡水水生物种		蓄水层	其他地下水	其他淡水
期初存量	1 228	771	724	218	91	109	98	75	65
可持续利用	-100	-51	-48	-31	-10	-16	-31	-10	-15
枯竭(包含土壤退化)	-3	-90	-85	-5	-1	-6	-3	-5	
其他积累	101	50	49	32	10	16	32	11	19
其他量的变化	-20	-13	-6	-1	-1	-6	-2	-1	-1
期末存量	1 206	667	634	213	89	97	94	70	68

3.3.1.2 地下资产账户

地下资产的期初和期末存量是指在当前的技术和相对价格条件下,可以进行经济开发的地表或地下矿藏的探明储量,包括煤、石油、天然气、金属和非金属矿产。另外,也有人建议对已经确定的或证明存在的矿藏评价应包括探明储量和"可能"储量。探明储量是指在一具体时间内,通过分析地质工程数据展示合理的确定性范围,估计以目前的经济和技术条件在将来可从已经发现的储量中开采的矿藏数量(1993 SNA,para.21.52)。可能储量是指在拥有矿床的连续性、范围、品位以及营运成本和资金成本等信息的基础上,基于经济上的可行性分析,以长期预测的平均矿物开采价格估计的矿藏数量和品位(Born,1992)。

确定(探明和可能)的储量很好地表示了可利用资源的数量,可用来评价资源长期的可持续生产和消费。然而确定的储量也引入了不确定性因素,特别是对这些储量估值的时候。除了确定的储量,未开发的储量和未发现的资源也可以用实物量来表示。按照存在的可能性及其他准则,矿物储量的分类将在第 4.2 节中详细阐述。

如表 WS4A 所示,地下资产存量的变化包括矿物的开采、发现、可开采储量的重新评估和其他因非经济原因导致的变化。即使所有的因素都可以直接测量,实际中其他量的变化经常作为残余量(平衡项)计算。WS4A 中包含了选择的地下资产的资产账户,需要注意的是，与工作表中的其他自然资源不同，通常不同分类的矿产资源不能按重量单位汇总，除非这些重量能够转化成一个共同的标准单位，如能源资源中的油或煤当量。对一些重要的地下资产（如石油和天然气），采掘量通常超过发现和重新评估（也就是其他积累）。如 WS4A 中，石油储量减少（枯竭）了 62.5×10^6t，尽管增加了新探明储量（15.2×10^6t），但期末存量仍然低于期初存量。

对当前实践中将发现作为其他积累记录在生产账户之外的做法存在不同的意见。有观点认为发现需要按像土地改良一样的方式处理，特别是当资源被重新分类为探明储量而不是作为可能或潜在储量时（United States Bureau of Economic Analysis，1994），资源价值增加应作为资本形成总额处理。根据 SEEA 的推荐，本手册将不可更新资源的开发作为永久性的资源"枯竭"处理（地下资产：220.7×10^6t）。

矿藏储量数据通常由矿务局、能源部门或其他政府机关的工程人员收集。这些数据主要涉及储量的地质特征和它们存在的可能性，不考虑它们是否进行经济开采。为了获得探明储量的数据，需要结合当前的技术、市场价格和开采成本等因素对地质数据进行调整。由于一些地下资产的市场价格是不断变化的，因此这样的调整处理要经常进行，并（作为重估值）计入其他积累中。采掘数量要根据所含矿物量或加工处理后的（铁锭）物质加权计算。为进行估值（见步骤 5）也需要对后者进行估计。

3.3.1.3　森林账户（经济功能）

经济性森林资产包括所有的经济功能，如提供木材、树皮、纤维、水果和其他商业上可开发的林产品。这些经济产品的存量和利用是下面讨论的应用市场估值的基础。尽管商业上可开发利用的森林资源通常同时具有经济和环境功能，但是需要清楚地区分森林的经济功能与环境功能（第 3.4 节）。

保护区的非法砍伐减少了环境资产数量，但同时给伐木者带来了经济利益，按 SNA 的规定，这样的活动应作为经济交易包括在系统的生产边界内。对"经济"森林资产账户中的非法砍伐，因可以将不可持续的开发利用视为一种非法活动，一种可行的解决方法是将非法砍伐的林木体积作为其他积累项处理，也就是作为从环境到经济的一种转化，将其"经济显露"视作枯竭。经这样处理，经济林的期初和期末存量将不受这些交易活动的影响[1]。

正如 WS4 中所表明的，森林账户中的所有项目都是采用体积和重量计算的（立方米或吨生物量）。期初和期末存量定义为所有立木体积的总量，仅包括直径达到允许砍伐的树木[2]。林业的经济利用包括伐木和其他活动（如出清林地用做农业用地）。伐木的体积超过林业的长期净增长率将被视为不可持续利用，当成林业的"枯竭"处理。可持续利用是指不削弱林业长期提供经济产品能力的伐木体积。可持续林业管理目的在于通过具体措施来维持这一能力，例如有选择的采伐。

---

[1] 保护区内可能允许合法砍伐，这时森林可被视为具有环境功能的经济资产，前面对此已有讨论。

[2] 在印度尼西亚，一个案例研究（Repetto 等，1989）运用了两种方法来测量存量：①"包括树皮在内的体积"（VOB），计算胸径超过 10cm 的活树，从树桩到第一主干冠顶的体积；②"实际商业化的体积"（VAC），计算不包括树皮在内，从森林中实际砍伐的商业用原木的体积。

植树造林和保护是同固定资产折旧的重投资在性质上相似的补救措施。这些保护活动下的自然生长在WS4中记录为其他积累。其他积累包括自然净增长(核算自然死亡率后的)和自然环境利用转为经济利用引起的体积增加。可供经济开发森林数量的减少将作为其他量的变化记录,如森林变为保护区后不再允许伐木,自然事件(如洪水或火灾)减少了经济开发林。

可持续砍伐原则上应利用模型来确定,解释变量包括树木年龄、土壤特征、气候等。由于成熟林生长得更慢,还应该考虑树木的年龄。通常可持续砍伐率大致等于森林的净增长率。在不存在林业从环境向经济转化时,可持续砍伐通常近似地等于其他积累,也就是自然净增长。

WS4A展示了针叶林、阔叶林和其他混交林的资产账户,结果是这三类存量都减少了。举例来说,阔叶林在核算期减少$104\times10^6m^3$(从$771\times10^6m^3$减少至$667\times10^6m^3$)。由于伐木和土地的出清(用做他用)使阔叶林枯竭($-90\times10^6m^3$),超过可持续利用($-50\times10^6m^3$)和自然净增长($50\times10^6m^3$),林业火灾和其他的自然灾害导致木材其他损失($13\times10^6m^3$)。

收集有关森林的数据一般以森林资源调查为基础,包括面积和体积。由于各单位(林业部门、研究机构以及遥感测量单位)的概念和兴趣不一样,面积信息的数据来源通常不同,所以需要仔细评价数据收集方法和结果的有效性。例如,通过卫星图像获得的数据需要根据种类或用途(种植园、商业砍伐、保护地区等)进行进一步分解,来判断是把它们记录为制造资产还是非制造资产,经济资产还是环境资产,遥感数据在用于环境账户之前必须经过实地验证。

3.3.1.4 渔业和其他的生物群账户

WS4中呈现了鱼类和可能开发的其他水生动物的期初和期末存量。对渔业而言,直接的经济利用表现为捕鱼量,捕鱼量是在捕鱼现场所捕获鱼的数量/重量。可持续捕获量应与枯竭区分开,可持续捕获量是指不减少鱼的长期存量的捕鱼数量,这也需要采用包含鱼群规模、年龄结构、鱼群繁殖能力及其他气候和环境变量的模型来估算(第4.4节)。捕获量超过可持续开发利用量的部分应视为枯竭。

存量数据可通过直接观测得到或从捕获量的数据和单位作业捕获量(CPU)上推断,后者可依据渔船捕鱼天数、捕捞装置的容量和技术水平等估算,第4章中详细地描述了这样的一个典型应用模型。其他积累和其他量的变化信息,也就是说自然生长、死亡及其他补充引起的存量变化难以估计,通常采用期初和期末存量的差异及捕获鱼量来粗略估算。

WS4A同时包括了海洋、淡水和“其他”经济物种的资产账户,其他生物群是指陆地生态系统的种群,如大象、虎和其他野生动物。对海洋物种来说,存量减少(从218×10^6t减少至213×10^6t)。捕鱼总量(-5×10^6t和-31×10^6t)和自然原因造成的减少量(-1×10^6t),超过了自然净增长量和补充量(32×10^6t和5×10^6t),超过量等于模型计算的枯竭量(-5×10^6t)。同时还记录了淡水(1×10^6t)和其他生物群($6\,000\times10^6t$)的枯竭量。

3.3.1.5 水账户

在当前的经济和技术条件下,评价水资源的可持续利用,测量水的长期可获得性是自然资源账户中一个最难的任务。水是一种循环的自然资源，流动迅速，不由人类控制，也无法确定其所有权(Mφllgarrd，1997)[1]。本手册主要关注静态的水体，是因为它的长期可利用性更容易确定。在这些水体中，如蓄水层中的水和一些地下水是特别重要的饮用水来源。

因此，在WS4A中水资源包含蓄水层、地下水和其他淡水资源。在一定程度上，它们的稀缺性导致强制执行使用权；它们的定量开发，增加了供水和使用的成本。产业和家庭对水的提取[2]、其他积累和其他量的变化带来水资源存量的变化。其他量的变化包括环境用水向经济用水的转变，降水、自然的重新补给或人类活动(修水库)的补充。影响水位和流量的自然原因是洪水和干旱，这些影响记录在其他量的变化中。WS4A表明，对地下水而言，总的经济利用为$49\times10^9m^3$(－31－3－10－5)，其中$8\times10^9m^3$(－5－3)是不可持续利用，代表对该种资源长期的过度开发。其他的淡水资源存量增加，被认为是可持续的，因此没有枯竭记录。

在不区分经济和非经济利用的前提下，需经常建立详细的水平衡表。这些平衡表对水资源的管理非常有用，特别是对内陆河流域的管理。但这种形式的平衡表并不能清晰地确认水资源在经济(生产和消费)系统中的作用。水质的变化通常采用针对空间上的具体点和有限区域的指标来测定，对不同水的使用、水质和水质标准的描述应是环境统计中一个既定的部分。水质指标同环境账户中水利用的联系超过了本手册的范围和内容，但本手册附带的编制软件在附加工作表(WS11)中涉及了一些水质指标。

3.3.2　步骤5：自然资源的估值(编制价值型账户)

第一个以市场估值为基础的价值型SEEA(版本4.1)同传统核算最为接近，它记录了在SNA资产账户中已经记录的自然资产价值和价值变化。正如前面所解释的，从SNA其他量的变化中，自然资源枯竭和退化的成本作为环境成本转移到了SEEA的生产账户中。

价值型账户是从实物型账户衍生出来的，具体来说，就是将单位价值量(也就是市场价格或估计的(估算的)市场价值)乘到略有更改的WS4中的实物存量和存量的变化上。WS5中即显示了这样的变化，它的列标题与WS4一样都是各类自然资源，但是更改了行标题。同制造资产的价值型账户(WS3)一样，这里引入了资本形成和重估值条目。应该注意的是，非制造资产中资本形成的唯一途径是土地改良，这在SNA中已有解释。对其他非制造环境资产而言，按定义不可能提供新的资产，因此资本形成用n.a.(不可应用)表示。在自然资产的获得和处置项，仅记录了土地和地下资产，尽管理论上其他资产也可能发生这样的交易，但实际很少，即使发生也微不足道。资产和资产变化分类同WS4一

[1] 欧盟统计办公室(Eurostat)负责编制水资源卫星账户的部门目前正在研究考虑水文管理约束的潜在可用水资源的概念和测量方法(Herrera和Bayo，从Mφllgarrd处引用，1997)。

[2] 运输或娱乐对河道内水的使用被处理成土地使用的一种形式(即“相关地表水”，见步骤4中的3.3.1.1)。

样,它们是交叉引用的。

进一步引入了“枯竭”和“退化”两个价值型项目,它们以 WS4(实物)中的“经济利用”和备注项中的质量变化为基础,由于价值型账户的成本概念引入了可持续性准则,它们还是存在一定差异。事实上,WS4A 将不可持续的资源利用作为实物枯竭处理,这为 WS5 中成本计算做了准备。这些准则可看做是对传统生产和收入账户中固有的可持续(资本维护)准则的一种扩展[1]。因此,并不是所有通过资源提取和废物处置而直接利用的自然资产都被记录为生产账户中的成本,只有那些不可更新的自然资产或不能被安全吸收的废弃/排放物才计入成本。正如步骤 4 所解释的,在评估自然资源开发利用的可持续性时需要复杂的模型,尤其是渔业资源中。由于测算环境退化(如酸雨和其他污染)所造成的经济资产生产能力损失特别困难,因此 WS5 只从 WS4 中提取了质量变化行中的土壤侵蚀一项。在 WS5 中其他资产的退化都以不可应用(n.a.)的形式出现,这说明尽管理论上可以对这些资产退化的损失估值,但实际操作非常困难。

对于那些市场上有交易的非制造有形资产(如土地)的存量价值可通过统计调查得到的市场价格直接计算。但一些可枯竭的自然资产(如地下资产和野生生物群),由于很少在市场买卖,并没有市场价格。在实际应用中已经产生很多估算这些没有市场的稀缺(可枯竭)自然资源存量和存量变化的市场价格/价值方法。专栏 5 简要描述了非制造“经济”资产的一些估值方法,包括“净价格法”(Repetto 等,1989)和“使用者成本法”(El Serafy,1989)。

自然资源的存量在核算期初和期末都是按实物量记录的,实物量乘以该资产当期的市场价格就得到当期的自然资产价值。在缺乏市场价格的情况下,可通过估计资产的净现值或用期望的自然资产提取/利用数量(资源寿命期限内)乘以当前的净价格得到。在许多假设(特别是霍特林规则)下,可以认为净价格法是对净现值计算的一种逼近。如果缺乏相关市场和市场价格(但假定市场是完美的),自然资产应优先按照贴现价值购买,胜过替代投资方案。推荐采用净价格法和使用者成本法来估算开采、其他积累和其他量的变化引起的资产变化,这两种方法都可以看做是对核算期内测量资产净现值变化基本原理的简化(Bartelmus,1998)。

除使用者成本补贴法中需要对净利润流采用贴现因子处理外,两种方法的差异主要是对应的可持续性准则不同:为估算枯竭的价值,净价格法主要应用于(实物的)不可持续的资源利用(参考专栏 6 中的 3.2)。使用者成本补贴法的目的在于保留一定数量的净利润来投资,以维持(货币)收入水平(参考专栏 6 中的 4.3)。净价格估值和使用者成本估值提供了资源枯竭和收入维护成本估值的上下限。这从使用者成本的定义中来看非常明显(专栏 5),使用者成本定义为净租金/利润和投资使用者成本得到的永久性收入流之差。

[1] 在 SNA 中,资本形成和消耗是将先前制造资本转移到生产和消费中并被逐渐“消费”的结果。资本消耗则是当前对资本商品的物理磨损按比例分摊的重置成本价值。对于非制造(自然)资产来说,不能用这样的成本计算方法,而是需要引入一个更规范的反映长期性的生产和收入形成的可持续性准则(Bartelmus,1998)。

专栏5 自然资源市场估值的方法

1.*净现值方法*

自然资源的净现值 V_0 等于预期净收入 N_tQ_t 以名义或实际利率 r 贴现后的价值之和:

$$V_0 = \sum_{t=0}^{T} \frac{N_tQ_t}{(1+r)^t}$$

其中 r 在资产寿命期 T 内假设是常数。N_t 为自然资源的单位(销售)价值减生产成本(包含资本的正常利润提取、开发、勘探成本),Q_t 为时期 t 内开发利用的资源数量。

2.*净价格法*

自然资产 t 期期初的价值 V_t 等于资源总量($Q=\sum Q_t$,Q_t 是在资源寿命期内的年度提取量)乘平均单位市场价格(p_t)与平均开采成本(c_t)的差。

$$V_t = (p_t - c_t)Q = N_tQ$$

3.*使用者成本法*

使用者成本是核算期销售可枯竭资源储量所得的有限净利润流 R($R=N_tQ_t$)与核算期投资使用者成本(以利率为 r)所得到的永久性收入流(X)之差。

$$R - X = R/(1+r)^T$$

使用者成本法主要应用于估算自然资产的枯竭价值,而不是存量价值。

专栏6进一步总结了核算期内对自然资产存量及其变化量进行估值的各类方法,也是利用WS5A中的价值数据来编制WS5B的步骤。WS5B中的枯竭和退化行包含了将并入SEEA生产账户中的环境成本(见图3-1),这需要将枯竭的成本分配到WS5C中引起资源枯竭的活动当中。下面针对不同资产对这些步骤进行更详细的描述。

3.3.2.1 土地/土壤

SNA中详细地处理了土地账户,非制造和非金融资产(土地,地下资产)的获得或处置是资本交易,不影响资本形成、增加值和收入形成。它们在SNA的资产账户(1993 SNA,paras.10.120－10.130)[1] 和SEEA的资产账户中(WS5中的其他积累项)作为分开的条目处理。需要注意土地存在固定资产形成总额,这里定义为与土地改良相关的总支出,包括土地改良、重新开垦荒地、林地出清、湿地的排水以及预防侵蚀和洪水等。资产的消耗(WS5中的"枯竭"项)是指土地改良所需制造资产的折旧导致的核算期土地改良价值的下降。土地的退化包括土地质量下降,它影响土地的市场价格。在核算其他积累和其他量的变化后(WS5(见表3-9)),余项价值的变化就是重估值(包含土地持有损益)。

同其他的资产分类不同,土地在市场上经常可以买卖,市场价格可以应用于估计存量

[1] 在1993 SNA标题X.D中有一个错误,资产形成中的非制造资产获得减处置的分类码为No.P.513,其实应该是No.K.2(见1993 SNA,annexV,part I,B.4)。

表 3-9　WS5(价值型资产账户:非制造经济资产)

项目	土地/土壤	地下资产	森林(经济功能)	水生资源	水资源
期初存量	见 WS4	见 WS4	见 WS4	见 WS4	(选择水体的使用价值)
固定资本形成总额	土地改良支出: 土地开垦 林地清除 湿地排水 预防洪水或侵蚀	(n.a.)[a]	(n.a.)[a]	(n.a.)[a]	(n.a.)[a]
枯竭	资产的消耗: 土地改良价值的下降	提取价值	不可持续砍伐的价值	不可持续捕获的价值	不可持续提取的价值
退化	由于污染或侵蚀造成的市场价值变化	(n.a.)[b]	(n.a.)[b]	(n.a.)[b]	(n.a.)[b]
其他积累	土地的获得减处置,其他见 WS4	地下资产的获得减处置,其他见 WS4	见 WS4	见 WS4	见 WS4
其他量的变化	见 WS4	见 WS4	见 WS4	见 WS4	见 WS4
重估价	持有损益	持有损益	持有损益	持有损益	(持有损益)
期末存量	见 WS4	见 WS4	见 WS4	见 WS4	(选择水体的使用价值)

注:a 表示不能应用;b 表示实践中难于估计。

和交易。WS5A(见表 3-10)列出了土地面积的市场价格,根据它可以推导出土地的价值型资产账户(WS5B(见表 3-11))。核算期内所有使用的土地价值都有所增加,例如,建筑用地的价值从 2 156 919 增加到 2 293 083,其中:获得建筑用地(6 449)、土地改良投资(386)、环境用地转化为经济用地(101 118)以及重估值(28 230)。

正如 WS4 已表明的,土地的价值也受有毒化学物质污染等的影响。由于很难从其他社会经济因素对不同土地分类和利用的供求影响中分离出污染物的影响,所以在定期编制的国民账户中很难评价污染物对土地市场价值变化的影响份额。因此,WS5 中仅将土壤侵蚀作为土地退化的一个作用因素,WS5A 和 WS5B 中将土壤侵蚀作为枯竭的成本(同 WS4A 中的实物项一样)。考虑到在农业用地和其他耕作土地上土壤侵蚀(损失)对生产能力有显著影响,特别是在发展中国家,因此对土壤侵蚀进行了明确的测量并作为成本记录在 SEEA 中。正如步骤 4 中已经讨论的,为了避免重复记账并使成本容易分配到引起侵蚀的活动中,这里仅核算经济活动对侵蚀的直接影响❶。

有两种类型的估值方法经常用来评价土壤损失的经济影响:①营养替代成本法,作为一种维护成本方法。②净价格估计法,估计土壤生产力降低造成的将来农产品销售损失的纯租金。WS5A 中退化成本的价值采用土壤的净价格表示,可以看成是上面任何一种方法的应用。由于第二种方法充分反映了土壤退化的影响效果,因此采用第二种方法计算的价值要高于采用第一种方法计算的价值。用土壤侵蚀的平均成本(2.9)乘土壤损失数量(148.8 $\times 10^6$t)得到土壤侵蚀的总成本为 432。

表 3-10　WS5A(非制造经济资产的市场估值)　(货币单位)

项目	土地 (10^3km^2)					土壤 (10^3t)	地下资产			
	农业用地	林地	建筑用地	娱乐用地	其他用地	(经济使用)	石油 (10^6t)	天然气 (10^9m^3)	煤炭 (10^3t)	铜 (10^6t)
A 净价格估计										
(1)市场价格										
核算期初	17 611	6 144	501 609	11 606	19 231		70.5	33.2	9.4	20
核算期末	18 136	6 358	509 574	13 293	19 958		64.3	31.6	9.6	27
核算期内的平均值	17 874	6 251	505 592	12 450	19 595		67.4	32.4	9.5	23.5
(2)单位资源的生产成本										
(包括资本的正常利润)										
核算期初						31.8	11.3	3.3	9	
核算期末							25.4	11.5	3.5	7
核算期内的平均值							28.6	11.4	3.4	8
(3)净价格 = (1) - (2)										
核算期初						2.7	38.7	21.9	6.1	11
核算期末						3.1	38.9	20.1	6.1	20
核算期内的平均值						2.9	38.8	21	6.1	15.5
B 使用者成本估计(单位提取)										
(4)估计资源寿命(n)							10	15	8	5
(5)折旧率(r)							0.05	0.05	0.05	0.05
(6)单位成本 = (3)/$(1+r)^{(n+1)}$							22.7	9.6	3.9	11.6

❶　对那些使用后会带来间接侵蚀的资产,如砍伐将地表直接暴露在风雨中,运用维护成本法会导致重复计算。

续表 3-10

项目	森林(经济利用)(10^6m^3)			水生资源(10^6t)		其他生物群(10^3t)	水(10^9m^3)		
	针叶林	阔叶林	混交林	海洋水生物种	淡水水生物种	物种 1	蓄水层	地下水	其他淡水
A 净价格估计									
(1)市场价格									
核算期初	26.8	30.9	23.8	125.7	102.5	58.9	10	7	4.5
核算期末	27.3	34.9	24.8	138.5	98.7	62.8	12	9	5
核算期内的平均值	27.1	32.9	24.3	132.1	100.6	60.9	11	8	4.8
(2)单位资源的生产成本(包括资本的正常利润)									
核算期初	17.4	22	14.4	58.8	42.8	12.1	8.6	5	3.2
核算期末	17.2	22.4	14.9	60.2	42	21.3	8.9	5.6	2.8
核算期内的平均值	17.3	22.2	14.7	59.5	42.4	16.7	8.8	5.3	3
(3)净价格=(1)-(2)									
核算期初	9.4	8.9	9.4	66.9	59.7	46.8	1.4	2	1.3
核算期末	10.1	12.5	9.9	78.3	56.7	41.5	3.1	3.4	2.2
核算期内的平均值	9.8	10.7	9.7	72.6	58.2	44.2	2.3	2.7	1.8
B 使用者成本估计(单位提取)									
(4)估计资源寿命期(n)									
(5)折旧率(r)									
(6)单位成本=(3)/$(1+r)^{(n+1)}$									

表 3-11 WS5B(价值型资产账户:非制造经济资产) (货币单位)

项目	土地					土壤	地下资产			
	铜	农业用地	林地	建筑用地	娱乐用地	其他土地	(经济使用)	石油	天然气	煤炭
期初存量	440 275	374 784	2 156 919	33 657	125 002		61 494	200 254	567	116
固定资产形成总额	53	49	386	4	3					
可持续利用										
枯竭(包括土壤退化)*	-3	-2	-19			432	-2 425	-3 087	-67	-3
其他积累										
获得减处置(非制造、非金融资产)	12 354	-18 804	6 449							
其他	5 362	-5 001	101 118	2 490	3 919		590	3 066	146	6
其他量的变化	-1 787	-625								
重估值	773	31 715	28 230	5 057	4 796		312	-16 442		95
期末存量	457 027	382 116	2 293 083	41 208	133 719		59 439	183 413	634	212

续表 3-11

项目	森林(经济使用)			水生资源		其他生物群物种	水		
	针叶林	阔叶林	混交林	海洋水生物种	淡水水生物种		蓄水层	地下水	其他淡水
期初存量	11 543	6 888	6 830	14 584	5 433	5 101	137	150	85
固定资产形成总额									
可持续利用	−977	−550	−463	−2 251	−582	−706	−70	−27	−26
枯竭(包括土壤退化)	−29	−958	−820	−363	−58	−265	−7	−14	
其他积累									
获得减处置(非制造、非金融资产)									
其他	986	537	473	2 323	582	706	72	30	33
其他量的变化	−195	−142	−56	−73	−58	−265	−5	−3	−2
重估值	893	2 540	294	22 457	−270	−546	163	102	60
期末存量	12 221	8 315	6 255	16 678	5 046	4 026	291	238	150

注： * 按净价格计算(见表 3-10)。使用者成本法(仅针对地下资产,5%的贴现率),计算的枯竭价值为:石油,1 419;天然气,1 411;煤,43;铜,2。对土地而言枯竭就是土地改良的固定资产消耗。

3.3.2.2 地下资产

地下资产的期初存量、获得/处置用当前的市场价格(如果可以得到)估值,并按上述的处理土地账户的方式处理。与 SNA 一样,在 SEEA 中地下资产没有资本形成。矿物开采的费用,无论是自用还是购买,都被认为是获取无形固定资产,也就是采矿业的资本形成。如前面所阐述,新发现的矿物(可能是勘探投资的结果)被记录为其他积累。由于地下资产是不可更新资源,所有的开采都被当成资源枯竭。

缺乏矿物市场价格时,可以应用专栏 5 中讨论的任何一种估值技术。WS5A 呈现了采用净价格法和使用者成本法计算的结果。净价格应采用加工处理后矿物的(国际或国内)市场价格,而不是开采的矿石价格。开发成本需要从经过加工的矿石市场价格中相减,成本包括当前的开发成本、提取成本、初级加工成本、运输成本等,还包括所用资产的折旧和资本的正常收益。使用者成本法是一种替代,如上所讨论的,它反映的是收入(而非资本)可持续的概念。

专栏 6　步骤 5：自然资源的估值（参看 WS5A）

1　净价格法

1.1　确定不同自然资源产出的市场价格：

可应用的国内或出口价格；

核算期初和期末的价格及核算期的平均价格；

1.2　评估单位资源产出的总生产成本：核算期初和期末的单位成本，及核算期内的平均成本；

1.3　评估资源开发中投资资产的正常利润；

1.4　确定资源开采产业的净营业盈余；

1.5　计算净价格[(1)-(2)+(3)]或[(4)-(3)]。

2　净租金法

该方法是净价格方法的一种替代，避免了采用有争议的利率来计算资产的正常利润。同时防止了由于外生确定制造资产的利润率引起的负净租金。其思想是从资源存量的总价值中减去制造资产存量 K 的价值（Born，1997）。该方法没有在 WS5A 中列出。

评估核算期末制造资产存量 K 的替换价值，并根据下式计算核算期内产生的总净租金：

[$TR-C$]/开采数量]×余下的资源存量—K（制造资产的存量）

式中：TR 为资源开发的总收入，C 为当前开采成本。

使用总的净租金直接估计资源存量总价值或作为应用净现值方法的基础（见专栏 5）。

3　净价格法的应用

3.1　如果不能得到资源存量的市场价值（当前价格下的）或者总的净租金，可以将核算期初的净价格应用到核算期初的非制造经济资产的实物存量上（见 WS4A）；

3.2　对由于开发/提取引起的非制造经济资产的变化（可持续利用和不可持续的枯竭），其他积累和其他量的变化，采用核算期平均净价格方法计算；

3.3　如果不能得到资源存量的市场价值（当前价格下的）或总的净租金，可以将核算期末的净价格应用到核算期末的非制造经济资产的实物存量上（见 WS4A）；

3.4　计算重估值，并作为期初和期末存量及和所有其他变化之间的一个平衡项（WS5B）；

3.5　将枯竭的成本分配到引起的活动中去（WS5C），并入 SEEA 计算 EVA Ⅰa，EDP Ⅰb 等指标（见 WS9）。

4　**使用者成本补贴法**

4.1　确定贴现率，并将它作为资源所有者下一步最优投资的机会成本（实际中，贴现率一般为3%～10%）；

4.2　估计当前的开发速率下资源的寿命期限；

4.3　计算使用者成本补贴，应用贴现率和使用寿命期计算当前的净利润（净价格乘资源的提取/枯竭量）；

4.4　将使用成本并入 SEEA 计算 EVA Ⅱc、EDP Ⅱd 等指标：

a 以市场价值计算的环境调整的增加值。

b 以市场价值计算的环境调整的国内生产净值。

c 以维护成本（或组合的市场/维护成本）计算的环境调整的增加值。

d 以维护成本（或组合的市场/维护成本）计算的环境调整的国内生产净值。

成本超过销售价值时会产生负的净利润。如果核算期初和期末出现的都是负的净租金，资源的价值型账户中将是零，解释为经济消失（属于 SNA 术语分类中的 K.6）。在核算期初出现净租金，在核算期末可获得正的利润（即“经济显露”，属于 SNA 术语分类中的 K.3），那么 WS5A 中的期初存量将为零，存量的变化将按期末存量价值的一半估计。

WS5B 呈现了使用净价格方法计算的选择矿物的价值型资产账户，在核算期没有发生资产的获得或处置。比较 WS4A 和 WS5B，可以看出实物型和价值型资产变化的运动形式不同，这说明在评价自然资源开发利用时需要检查实物型和价值型数据。唯有采掘业将枯竭记作生产成本（最大值的是天燃气 3 087，其次是石油和煤炭）。在煤和铜的账目中，期末存量超过期初存量（煤期初存量 567，期末存量 634）是因为有新发现（146）。注意对煤而言，小的价格影响（由 9.4 变为 9.6）为重估值的“统计误差”所抵消。

可以比较 WS5B 中用净价格方法和注释中采用使用者成本法计算的枯竭成本。使用者成本法由于是对净价格计算的结果进行折旧计算，因此计算的枯竭值通常低于采用净价格计算的结果，在 WS5B 中分别只有净价格方法计算值的 58%（石油）、74%（铜）。如前所述，这种比较提供了一个有用的范围，反映了资源枯竭成本估计的上下限。

3.3.2.3　森林的经济功能

森林经济功能枯竭主要是因为伐木量超过了可持续砍伐量。确定可持续砍伐量需要利用可持续生产量模型，该模型需利用砍伐各树种的时间序列数据、土壤肥力、气候等数据（见第 4.1 节）。农业、建筑业和其他经济活动对林地占用造成的森林资源枯竭成本需要分摊到实施这些活动的产业/部门中去。WS5C（见表 3-12）中这些成本被分配到林业（1 446）和家庭消费中（361）。

价值型账户可用立木体积（WS4A）乘单位立木的价值得到，这是潜在的砍伐特许权获得者所愿意支付的最大数额。在完美市场条件和理性市场行为条件下，该价值反映了预期净收益贴现的净现值。但由于支付意愿难以评定，实际应用中常用净价格来替代。净价格定义为木材的市场价格（或单位出口价值）与开发成本之差，开发成本包括砍伐、选取、运输、碾磨原木的成本及资本的正常利润。理论上也可以计算不可持续利用森林资源产生收入的使用者成本补贴。

表 3-12 WS5C(经济活动中枯竭成本的分配) (货币单位)

项目	农业/狩猎	林业	渔业	采掘业	制造业	电力、煤气和水	建筑业	公共管理和预防	最终消费
土壤(侵蚀)	432								
地下资产				-5 582					
林业		-1 446							-361
鱼类			-421						
其他生物	265								
水	-7								-14

WS5B 中展示了所有超过可持续利用量的森林分类的枯竭量(-29-958-820=-1 807)。由于森林资产很少进行贸易,因此资产账户没有获得或处置的记录。获得砍伐权所支付的费用在 1993 SNA(para.7.87)中作为使用税或租金处理,也就是作为出租有形的非制造资产的财产收入。

3.3.2.4 渔业资源

鱼类和其他的水生物种是一种可更新资源,需要模型来模拟可持续捕获量。这类模型中的解释变量包括捕捞作业量、不同渔船效率、捕捞物种的年产量和其他生物特征。通常采用净价格法来估计渔业的价值型账户。当然市场估值仅应用于资产的经济功能和使用价值。其他价值(选择或生存价值)用来捕获鱼类、森林和其他生物的非经济环境价值(本手册中没有进行进一步讨论,参考步骤 8)。

将 WS5A 应用到 WS4A 的实物账户中可以提供鱼和“其他”生物群的价值型账户(WS5B)。为了说明表中列出了有代表性的水生物种和一个“其他”物种作为示范。物种的总枯竭成本为-686(-363,-58,-265),需要从捕渔和狩猎产业的增加值中扣减。

3.3.2.5 水资源

同其他可更新的资源一样,超过更新率的枯竭是水资源开发利用的环境成本。在许多事例中,仅测量那些可永久枯竭水体(湖泊、含水层和其他地下水)的枯竭。通常对枯竭水体数量应用净价格法进行评估,但我们很难得到水资源供应的价格,即使有也与实际使用价格相差很大,或者补贴非常多。不同水质的水资源供应成本相差很大,这是采用维护成本法评估水资源需要注意的一个问题(见下面步骤 8)。在 WS4A 的例子中,由于不可持续的水资源利用仅发生在蓄水层和地下水中,所以在 WS5B 中只针对这些分类记录了枯竭量(-7,-14)。

重估值比核算期初蓄水层的存量价值要大很多,反映了 WS5A 中价格的急剧增加。蓄水层的净价格增加了 2 倍多,其他地下水价格也增加了 70%。

3.4　环境资产核算

非制造“环境”资产是指那些既没有所有权归属，也不能直接产生经济利益(收入)的资产。由于许多自然资产既具有经济功能，也具有环境功能，在分类上同经济资产很相似，因此在非金融资产分类(CNFA)(附录Ⅲ)中并不区分经济资产和环境资产，只是增加了空气作为非经济资产。

3.4.1　步骤6：编制实物型环境资产账户(可选)

环境资产包括空气、水体(排除在WS4和WS5中解释了经济利用的蓄水层和地下水)、土地(不是WS4和WS5中的经济用地，而是具有高舒适性价值的森林和水生生态系统)和受到或未受到保护的野生动植物区系。将自然系统划分为生态系统、生态区和生物群系，在环境和生态统计中是一项艰巨的任务。另外，几乎不可能区分和测量环境资产账户中不同类型资产的变化。

为了更详细地分析环境—经济之间的相互作用，本操作手册引入WS6(见表3-13)来联系从环境统计表得到的实物统计数据、指标和环境核算框架。这样的分析大部分使用实物量数据来确定环境资产的“存货”及其变化。因此，该工作表同WS4一样没有区分不同类型的资产变化，而仅呈现“量的变化”，这些变化包括进/出环境系统的转移及其他的自然过程和事件。估值这些资产(也就是它们存在的社会效益)非常困难，并且存在争议。因此这里没有进一步讨论环境资产账户的编制。

表3-13　WS6(实物资产账户：非制造环境资产)

项目	土地和其他生态系统(森林，水等)(km^2)	稀有和濒危动植物区系(数量)	空气
期初存量	没有包含在经济资产账户中的土地面积(WS4)	物种数量	n.a.[a]
量的变化	分类的变化(在生态系统边界内，土地在经济利用和环境利用相互之间的转化)，由于自然、政治或其他非经济原因引起的土地面积变化	物种的状态变化(经济和环境相互之间的转化)、自然灾害引起的数量变化、自然净增长、引入物种的数目	n.a.[a]
期末存量	没有包含在经济资产账户中的土地面积(WS4)	物种数量	n.a.[a]
质量变化[b]	土壤侵蚀(t)，土地污染(荷载和周围环境的浓度)，疾病和酸雨对森林的影响(面积或容量的变化)，水质的变化(指数)	受疾病影响的物种(数量的变化)	空气质量变化(指数)

注：a表示不能应用；b表示质量测量不是资产账户的一部分，但与估计环境退化成本紧密相关——追踪经济活动引起环境成本或应用于损害估值。

WS6 提示账户编制人员,对非经济环境资产的某些定性和定量变化可用实物量指标来测量,确定这些资产与经济活动的直接联系后,可对这些资产变化进行成本估计。正如在 WS6 中用“质量变化”行表明的一样,生产和消费活动中排放引起环境介质和生物区质量的变化[1],就是这样处理的。在本手册附带的软件中,选择的质量指标在单独的工作表中出现(附录Ⅶ)。对这些数据进行排放账户编制和核算维护成本将在下一步骤中讨论。

3.5 排放物账户

3.5.1 步骤 7:编制经济部门的排放物账户

污染部门废气(包括废弃物)排放的数据在 WS7(见表 3-14)中编制,这些表格在环境统计概要中很有代表性,但还没有广泛接受的国际分类标准。由于污染物和废物类型不一样,造成的环境影响成本随类型变化差异很大,因而需要仔细辨明最重要的污染物和废物分类。污染部门是企业、家庭、政府(包括非盈利组织)及余下的世界,引入后者是为了考察通过空气、水及陆地的跨界污染迁移。在图 3-1 中 SEEA 总体框架部分(在一个单独的框里面)将这种跨国界的污染物流量作为“自然资产的外部使用”。在 WS7 中,这些跨界流量被作为与余下世界的污染物往来,用实物量表示。

污染的数据主要从监测站获得。监测站测量的周围环境介质(空气、水、土地/土壤)中污染物的浓度是估计环境质量(变化)的基础。但是,如在 SEEA 中采用维护成本法所要求的那样(见步骤 8),为了将环境成本分摊到引起污染的部门,需要排放数据而不是浓度数据。由于追溯周围环境污染的起源(按时间、空间和部门)非常困难,当得不到直接测量的排放数据时,经常可采用排放系数法来确定污染物的排放量。通常可从工程和科学研究中得到的一些排放系数,如具有同样经济结构国家的排放情况,关于典型产业及排放的一些国际研究。同时,这种“借用”的排放系数应根据研究地国家生产与消费的经济和技术特征进行一定的修正(见第 4.5 节)。

对可更新资源来说,其再生能力会减弱资源利用的长期影响。在可持续发展的原则下,只需要记录那些不能被环境安全吸收的排放物并计算其成本。政府的排放标准或国际协议可以作为确定可持续排放水平的依据。在核算期内那些排放量(很多使用投入产出系数进行估计)正在减少的产业、政府或其他经济主体的排放成本中不应采用维护成本法估值。这里有一个简单假定,即认为所有当前技术不能减少的排放都能被环境安全吸收。作为替代方法的避免成本法,要求减少特定的生产和消费过程,其维护成本将计为相应的收入(增加值)损失。

WS7 按污染物类型和排放部门,以实物单位显示了排放情况。比较不同部门之间的

[1] 有些情况下,经济活动和环境资产数量变化间的直接关系,可用参照森林(出清)和物种(捕获或猎杀)的处理方式来建立。从理论上讲,这些资产的永久性损失可用维护成本法估计(放弃破坏活动引起的收入损失)。然而,正如前面部分所讨论的,无论是在概念上还是实际操作中,都很难把这些活动和资产从经济枯竭中区分出来。另外,这里对环境资产数量变化的问题不做进一步讨论。

污染物排放情况发现，SO_2 主要由制造业（981 700t）、能源部门（655 400t）和家庭（47 200t）排放，而悬浮颗粒物主要来自电力部门（总悬浮颗粒物（TSPM）200 600t），同时这个国家是一个污染的净出口国家（通过水道转移生物需氧量（BOD）（1 621 700t）），空气转移（SO_2：85 900 − 43 000 = 42 900t），同时每年向大气中排放 CO_2（483 700 + 19 500 + 4 700 + 20 500 = 528 400t）。该表同时也表明了使用实物量数据在不同污染物之间比较的局限性。可能需要应用当量因子把吨转化成相应的对某一特定"主题"的影响程度，例如温室气体排放对全球变暖的影响❶。

表 3-14　WS7（经济部门的排放账户）　（单位：10^3 t）

项目	制造业	电力、煤气和水	政府	家庭	余下的世界	
					进口	出口
空气						
SO_2	981.7	655.4	38.3	472.7	43	85.9
NO_x	69.6	8.5	9.5	95.2	2.4	5.5
TSPM		200.6	6.2	36.4		
CO_2	483.7	19.5	4.7	20.5		
水						
BOD	12 243.5	24 769.1	7 146.2	9 899		1 621.7
土地/土壤						
废弃物/污染物	13 287	6 373	15 391	2 208	1 165.2	

3.5.2　步骤 8：排放物的维护成本核算

第 2 章中已经讨论过用维护成本法估值环境资产所受影响的基本原理。WS8（见表 3-15）呈现了 WS7 中所示的净排放（超过吸收/减轻部分：见步骤 7）的环境成本，不包括跨界排放。由于对来自和流向国外污染物转移的估值有争议❷，因此 WS8 中忽略跨界的转移和全球公共地（如大气和海洋）上的污染物。

考虑到土地退化、废物和污染物排放导致的土地质量变化将影响土地的价值，这些质量变化在 1993 SNA 中作为其他量的变化在资产账户中记录。与枯竭和"经济消失"情形相反，SNA 中一般将枯竭的影响直接分摊给枯竭活动，但是将土地质量变化作为成本从资产账户中分摊到生产账户中的特定部门中却有很大的难度。实际上，土地质量变化很少在资产账户中编制，而是在引起土地质量变化的经济活动中直接核算维护成本。

应用到排放估值中的维护成本法，反映的是最有效（最小成本）措施和技术下的成本，这些措施可应用于减轻/减缓当前排放量，从而维护环境资产的废物/污染物吸收能力。实际上，再先进的处理技术有时也只能减少核算期产生的部分排放物，而且总会留下一些

❶ 例如，可以参考荷兰以这种方式创建的主题指标（NAMEA）（de Haan 和 Keuning，1995）。这类指标的问题是仅限于一些特定"政策主题"，而且各主题之间不能进行比较。另外，各个主题的选择和定义很大程度上取决于特定国家所关注的问题和问题的优先性。

❷ 理论上来说，维护成本法可以应用于引起污染的国家（污染出口国）。

污染残余物。由于在模拟市场中对它们处理被认为是次优的(由于边际成本超过了社会标准),因此对这些残余物需要“忍耐”。通常假定这些污染残余物可以为环境安全吸收,或低于设定标准。否则,为了达到更加明确的环境标准需要估计避免所有污染活动的成本。

对流量变量运用维护成本,表现为遵守环境规则、维护环境质量的一种应负成本。专栏 7 列出了计算维护自然资产的环境吸纳功能的维护成本所需要的步骤。维护成本计算的一个重要原始数据来源是研究机构拥有的技术数据库。为了更好地管理一些技术含量较高的事务,如对一些设备安装资格的认定,政府增强了对最易获得技术的物理特征和成本数据的收集。这一趋势的一个典型例子是:1996 年 9 月 24 日,欧盟议会颁布了关于集成污染预防和控制(IPPC)的指示(96/611 EC)。在这一指示的影响下,欧洲建立了报告和信息交换机制。这样来源的数据在增强可比性方面迈出了第一步。然而这方面的数据并不完备,尤其是成本数据。

WS8(B 部分)的总成本是采用 WS7 中的排放量乘 WS8(A 部分)的单位维护成本得到。为简单起见,WS8(A 部分)只列出了高度汇总的经济部门的单位维护成本的价值。实际上不同经济主体的维护成本差异很大,主要取决于企业和家庭不同的生产/消费过程。WS8(B 部分:总成本)显示了空气污染和水污染是该国主要的环境退化问题,污染主要由制造业(1 716)、公用事业(2 038)、政府和家庭(431 + 1 526 = 1 957)产生。SO_2 避免成本大约占到总避免成本的 1/3(1 948/5 711)。

专栏 7　步骤 8:排放物的维护成本核算

1.通过环境保护支出的产业调查或环境技术的研究成果(技术数据库)确定避免/减轻/减缓环境退化的成本最小的活动(见专栏 2)。

2.将最小单位成本应用(WS8 的 A 部分)到 WS7 中的排放物部分可得到 WS8 的 B 部分。

3.将环境维护成本计入 SEEA 的一个替代版本并增加到枯竭成本当中(计算 EVA Ⅱ和 EDP Ⅱ,见步骤 9 和步骤 10)。

表 3-15　WS8(经济部门排放账户的维护成本)　　(货币单位)

项　目	A 单位成本				B 总成本			
	制造业	电力、煤气和水	政府	家庭	制造业	电力、煤气和水	政府	家庭
空气								
SO_2	0.907	0.907	0.907	0.907	890	594	35	429
NO_x	4.668	4.668	4.668	4.668	325	40	44	444
TSPM	3.057	3.057	3.057	3.057		613	19	111
CO_2								
水 BOD	0.026	0.026	0.026	0.026	318	669	164	287
土地/土壤废弃物	0.014	0.014	0.014	0.014	183	122	169	255
总计					1 716	2 038	431	1 526

3.6　显示和分析

本节是环境核算的最后一步，描述了怎样总结解释一个环境核算项目的结果。在最终项目报告或出版物中将清晰地描绘表格化的项目结果。作为一项探索性项目，这份报告将是评估结果以及为环境核算永久制度化提供建议的主要工具(见第5章)。报告也评估了环境账户直接支持政策的作用，包括特殊的自然资源管理、污染控制以及进一步分析模型和研究得出的结果。

3.6.1　步骤9：汇总与制表

实物账户的汇总仅限于所选择的自然资源和所关注的环境问题。不同资产和环境"主题"之间的汇总需要一个共同的计量标准，如市场价值或维护成本。前面已经阐明，对实物存量和流量的估值可以提供一系列环境调整的指标总量，如自然资本/财富、环境调整的增加值(EVA)和环境调整的国内生产净值(EDP)[1]。

WS9(见表3-16)展示了上述自然资产存量及其枯竭、退化的价值编制结果，它们被计为生产的环境成本。容许在SEEA框架中纳入这些价值的核算准则和会计恒等式已在第2章中进行了描述。图3-1展示了SEEA框架与这些工作表之间的联系。因此，WS9描述了编制的集成环境和经济账户，它用WS2A、WS3A、WS5B、WS5C和WS8的结果填充了图3-1。步骤10对WS9中环境调整的核算指标与传统账户指标进行了比较。

3.6.2　步骤10：比较传统账户指标和环境调整指标

WS10A(见表3-17)展示了传统账户和WS9中环境调整指标之间的总结比较。以市场价值计算的环境调整的国内生产净值(EDPI)(208 926)，由NDP(217 454)减枯竭成本(7 721 + 375 + 432(土壤侵蚀的成本[2]) = 8 528)得到，减少了NDP大约4%。以维护成本计算得到环境调整的国内生产净值EDPⅡ(203 214)，也就是说，增加的环境影响(4 618 - 432 + 1 526 = 5 712)，进一步减少了NDP3%，使总的NDP减少达到6.5%。

WS9中的环境成本(5 712 + 8 528 = 14 240)反映在SEEA资产账户中资本积累的量的变化当中(枯竭：- 5 582 - 1 807 - 421 - 265 - 20；退化：- 432 - 729 - 3 545 - 1 439)。WS10A表明自然资源的枯竭降低了环境调整的净资本形成(ECF)大约7个百分点。不过该国整体上净资本形成仍然为正，说明核算期内经济运行仍然满足可持续发展的弱可持续性(假定允许资本替代)条件。因为与环境保护活动相关的资本形成数据通常很难得到，因此WS9中同时将环境支出作为GDP的一个比例呈现。经常性支出(ICEP)和资本

[1] 在某些情况下，市场价值和维护成本是一致的，可以从传统指标中增加和扣减。但是从观测的市场价值中减去一个假定的成本，还是有争议的(有关讨论及与环境核算的联系可参见Bartelmus，1998)。

[2] 土壤侵蚀被看做是农业(土地质量)退化成本，由于影响农用土地的生产力，也被作为"经济"资产"枯竭"成本的一部分(参考步骤5中的讨论)。

表 3-16　WS9(集成环境和环境经济账户)

(货币单位)

	农业	林业	渔业	采掘业	制造业	电力煤气和水	建筑业	公共管理和预防	其他	产业合计	进口	出口	最终消费	资产帐户 自然经济资产 制造资产	土地	土壤	矿物储量	森林	鱼类	其他生物	水	环境资产 土地	空气	水
期初存量														713 465	3 130 637		262 431	25 261	20 017	5 101	372			
供给 产出	27 127	9 183	2 201	20 608	240 810	9 618	60 808	29 329	131 786	531 470														
其中：环保产品					1 848		1 313		20 716	23 877														
中间和最终使用 中间消耗和最终使用	13 406	4 490	1 016	11 916	174 100	4 333	27 937	10 505	42 388	290 091	−71 840	69 532	155 846	87 941	495*									
其中：环保产品					1 788		24		16 222	18 034	−1 208	101	3 328	3 632										
固定资本消耗	4 528	885	272	2 303	7 436	1 307	2 311	916	3 967	23 925				−23 925	−25*									
枯竭 矿物				5 582						5 582							−5 582							
森林		1 446								1 446			361					−1 807						
鱼类			421							421									−421					
其他生物	265									265										−265				
水	7									7			14								−20			
小计	272	1 446	421	5 582						7 721			375											
自然资产 转变									1 901	1 901														
经济使用 退化 土地/土壤	432				183	122		169		907			255			−432						−729		
空气					1 215	1 247		98		2 561			984										−3 545	
水					318	669		164		1 151			287											−1 439
小计	432				1 716	2 038		431		4 618			1 526											
总增加值	13 721	4 693	1 185	8 692	66 710	5 285	32 871	18 824	89 398	241 379														
净增加值	9 193	3 808	913	6 389	59 274	3 978	30 560	17 908	85 431	217 454														
劳动者报酬	2 923	2 281	235	2 140	31 701	1 014	21 553	17 904	32 837	112 588														
营业盈余	5 727	1 340	664	3 827	17 903	2 641	6 336	4	37 790	76 233														
生产税减补贴	542	87	14	422	9 670	323	2 671		14 804	28 633														
环境调整的增加值	8 490	2 362	492	807	57 558	1 940	30 560	17 477	83 530	203 214														
其他积累															107 888		3 808	7	73		12			
其他量变化														−268	−2 412		−923	−396	−131	−265	−9			
重估值														1 302	70 570		−16 035	3 727	2 187	−546	325			
期末存量														778 515	3 307 153		243 698	26 792	21 724	4 026	679			

注:*指土地改良。

支出(GCFEP)分别占GDP的7.5%和1.5%。

表3-17　WS10A(传统指标与经环境调整的总量指标之间的比较)

项目	下降比率	农业	林业	渔业	采矿业	制造业
		货币单位				
NDP[a]	21 754	9 193	3 808	913	6 389	59 274
EDPⅠ[b](EVA Ⅰ[c])	208 926	8 490	2 362	492	807	57 558
EDPⅡ[d](EVA Ⅱ[e])	203 214	8 490	2 362	492	807	57 558
(NDP－EDPⅡ)/NDP	6.50%	7.70%	38.00%	46.10%	87.40%	2.90%
(NDP－EDPⅠ)/NDP	3.90%	7.70%	38.00%	46.10%	87.40%	0
C[f]/NDP	71.70%					
C/EDPⅡ	76.70%					
NCF[g]/NDP	29.70%					
ECF[h]/NDP	23.10%					
NDP/CAP[i]	30.50%					
EDPⅠ/CAPⅠ[j]	5.00%					
CAP/CAPⅠ	17.20%					
ICEP[k]/GDP[l]	7.50%					
GCFEP[m]/GDP	1.50%					

注:a:国内生产净值;

b:环境调整的国内生产净值(市场价格);

c:环境调整的增加值(市场价格);

d:以维护成本计算的经环境调整的国内生产净值;

e:以维护成本计算的经环境调整的增加值;

f:最终消费;

g:资本形成净额;

h:环境调整的净资本形成;

i:资本存量(制造的);

j:资本存量,包括(经济)自然资产(核算期初);

k:环境保护的中间消耗;

l:国内生产总值;

m:环境保护的资本形成总额。

资本生产能力的下降在单位资本的增加值中反映,NDP/CAP(30.5%),EDPⅠ/CAPⅠ(5%),其中:CAP指资本存量,CAPⅠ指包括(经济)自然资本的资本存量。该比例反映了包括自然资本和自然资源枯竭后资本效益急剧减少。如果忽略难以评价的土地生产能力,得到的结果是资本的生产能力减小了大约10%(到20.4%)。但是,如此综合的指标可能掩盖单个部门之间巨大的差异,这些部门需要恰当地分解制造和自然资本存量(按拥有者类别)进行单独评价。

对某些特定经济部门,环境成本的重要性日益显著。WS10A中的5个产业部门的环境成本差异很大。采矿业导致的枯竭成本使它的增加值减少了大约90%。就环境退化来说,公用事业部门产生的环境成本大约占其增加值的一半。

WS10B(见表 3-18)更系统地综合分析了 WS10A 中的总量指标。它呈现了环境调整指标和传统账户指标的比例分解,同时还增加了环境保护(EP)支出、出口和进口的信息。WS10B 左边列显示了 SNA 中构成 NDP 因素的比例分解,右边列呈现了 SEEA 中 EDP Ⅱ的构成要素的比例分解。通过详细说明 SNA 和 SEEA 中指标与"自然资产相关的经济交易"可以解释 NDP 和 EDP 分析之间的差异。

下面解释 WS10B 中间部分的元素是如何同 SNA 和 SEEA 列中的环境和经济总量指标联系起来的:

(1)*NDP 和 EDP* :环境收费减补贴(占 NDP 和 EDP 都是 -0.05%),环境保护产品的中间消耗/使用(分别占 NDP 和 EDP 8.29%和 8.87%),自然资源的使用(分别占 NDP 和 EDP 5.67%和 6.07%)。表中同时也辨明了环境保护支出(环境收费减补贴,环境保护产品的中间消耗/使用)对环境介质的影响(土地 0.96%、空气 3.32%、水 3.95%)。各部门自然资源的使用造成的枯竭成本(占 NDP 的百分比)分别为:林业(0.66%)、渔业(0.19%)、矿物(2.57%)、生物(0.12%),退化成本占 NDP 的百分比分别为:土地/土壤(0.42%)、空气(1.18%)和水(0.53%)。在推导 EDP Ⅱ时,这些环境成本都从 NDP 中扣减。

(2)*家庭和政府的最终消费* :主要描述以下两部分:环境保护产品的最终消费(占 NDP 1.53%)和对自然资产的使用(即最终消费者产生废物并排放入空气、土地和水中占 NDP 0.87%)。将各产业枯竭和退化中的这些百分比加总得到 WS10A 中的总数 6.54%❶。

(3)*净资本形成/积累* :环境调整的资本形成占 EDP 的比例为 24.48%,传统的资本形成占 NDP 的比例为 29.66%。环境保护设备的固定资产形成占 EDP 和 NDP 的比例分别为 1.67%和 1.78%。由于没有环境保护固定资产消耗的数据,传统的和环境调整的固定资产都以总量形式呈现。

(4)*出口和进口* :在传统账户中可以辨明自然资源的进口和出口。进口可以表现为其他国家的枯竭,如表格中显示的木材进口(0.17%)、水产品进口(0.12%)、矿物(0.05%)就可能对应于出口国森林、渔业和矿物的枯竭。这样做是为了展示该国经济对其他国家自然资源供给的依赖性。同样,自然资源的出口可能意味着为了满足其他国家的需要而过度使用自己的资源。表中的计算结果表明自然资源的出口量占 NDP 的 1.5%,比进口大 4 倍,表明这个国家是一个资源相对丰富的国家。

WS10C(见表 3-19)是一个将 WS10B 的结果针对产业详细分析的例子。左边列显示了产业的 NDP 的分配比例,右边列是各产业的 EDP 分配比例以及 EVA/NVA。与 WS10B 一样,表的中间部分显示了经济活动对自然资产的影响,以及通过 EP 支出形式表现的经济对这些影响的响应。表中间的数据用占各产业净增加值(NVA)的百分比来表示。

林业对 NDP 的贡献是 1.75%,但对 EDP 的贡献仅 1.16%,这是因为该产业引起的资源枯竭占其增加值的 38%,而且核算期内没有环境保护支出。另一方面,制造业带来

❶ 一个例外是将家庭消费活动中引起的环境成本转移到生产账户中的"其他产业"部分,按这种处理方式,最终消费引起的污染被处理成家庭和政府的一种负面的生产活动。

表 3-18　WS10B(传统指标和环境调整指标之间的比例分配)

SNA 传统指标	占 NDP 的百分比	与自然资产相关的经济交易(占 NDP 的百分比)								占 EDP 的百分比	SEEA 环境调整的指标
		枯竭					退化				
		林业	渔业	海洋	水	其他生物群	土地/土壤	空气	水		
NDP	100									100	EDP Ⅱ(占 NDP 的百分比)93.45%
其中:环境税减补贴	-0.05									-0.05	
环保产品的中间消耗/使用	8.29						0.96	3.32	3.95	8.87	
产业对自然资产的使用(枯竭和退化)	5.67	0.66	0.19	2.57	0	0.12	0.42	1.18	0.53	6.07	
家庭和政府的最终消费	71.67									76.69	家庭和政府的最终消费
其中:环保产品的最终消费	1.53						0.81	0.35	0.37	1.64	
自然资产的使用(枯竭和退化)	0.87	0.17	0	0	0.01	0	0.12	0.45	0.13	0.94	
资本形成净额	29.66									24.48	环境调整的净资本形成(自然资本消耗调整的资本形成净额)
其中:环保产品的资本形成总额	1.67						0.51	0.54	0.52	1.78	
出口:	31.93									34.17	出口
其中:环保产品的出口	0.05									0.05	
自然资源的出口	1.49	0.11	0.05	1.33						1.5	
进口:	33.04									35.35	进口
其中:环保产品的进口	0.56									0.59	
自然资源的进口	0.34	0.17	0.12	0.05						0.36	

的(未被消除的)环境退化成本大约占 NDP 的 3%,不过其现期的环境保护支出[1] 与其引起的环境退化成本相当。

可以进一步分析表中不同时期的数据。例如,在短期和中期分析中,可以考虑生产和消费模式变化引起的结构变化、环境成本估计以及实际环境成本内生化等。总之,EDP 或环境调整的资本形成的时间序列数据能够很好地表明一个国家经济增长是否可持续,至少反映了自然资本的消耗情况。第 5 章将进一步阐述利用 SEEA 的结果来评价经济运行情况和增长、调整经济政策和评价政策影响。

表 3-19 WS10C(产业对传统的和环境调整的净产业的贡献)

项目		SNA	与自然资产相关的经济交易(占净增加值的百分比)				SEEA	
		各产业占 NDP 百分比	环保经常支出	环境税减补贴	环保固定资产形成(EP)	自然资产的使用	EVA/NVA(%)	EDP 按行业分配的百分比
农业	总计	4.23				7.65	92.35	4.18
	枯竭					2.95		
	退化					4.69		
	土地					4.69		
	空气					0.00		
	水					0.00		
林业	总计	1.75				37.95	62.03	1.16
	枯竭					37.95		
	退化					0.00		
	土地					0.00		
	空气					0.00		
	水					0.00		
渔业	总计	0.42				46.16	53.84	0.24
	枯竭					46.16		
	退化					0.00		
	土地					0.00		
	空气					0.00		
	水					0.00		
采矿业	总计	2.94				87.38	12.62	0.40
	枯竭					87.38		
	退化					0.00		
	土地					0.00		
	空气					0.00		
	水					0.00		

[1] 核算期内,无法获得 EP 的资本支出数据。

续表 3-19

项目		SNA	与自然资产相关的经济交易（占净增加值的百分比）				SEEA	
		各产业占 NDP 百分比	环保经常支出	环境税减补贴	环保固定资产形成(EP)	自然资产的使用	EVA/NVA（%）	EDP 按行业分配的百分比
制造业	总计	27.26	3.02	-0.14		2.90	91.10	28.32
	枯竭					0.00		
	退化					2.90		
	土地		0.32			0.31		
	空气		0.97			2.05		
	水		1.73			0.54		
建筑业	总计	14.05	0.08	0.00		0.00	100.00	15.04
	枯竭					0.00		
	退化					0.00		
	土地		0.04			0.00		
	空气		0.04			0.00		
	水		0.00			0.00		
公共管理和预防	总计	8.24				2.41	97.59	8.60
	枯竭					0.00		
	退化					2.41		
	土地					0.95		
	空气					0.55		
	水					0.92		
其他产业	总计	41.12	17.24	-0.02		2.28	97.74	42.06
	枯竭					0.00		
	退化					2.28		
	土地					0.14		
	空气					1.40		
	水					0.75		
其中：下水道和垃圾处理，卫生设施以及类似活动	总计		13.74					
	枯竭							
	退化							
	土地							
	空气							
	水							
产业合计	总计	100.00	8.29	-0.05	1.67	5.67	93.45	100.00
	枯竭					3.55		
	退化					2.12		
	土地		0.22	0.00	0.00	0.42		
	空气		0.65	0.00	0.00	1.18		
	水		1.14	0.00	0.00	0.53		

第 4 章 几种选定资源的账户

4.1 森林账户

4.1.1 对森林环境和经济方面的关注

很多国际论坛都关注森林的环境和经济问题,并签订了很多国际协定。著名的有:国际热带木材协议(ITTA);热带森林行动计划(TFAP);在里约热内卢通过的关于所有类型森林管理、保护、可持续性发展原则全球共识的非正式官方声明(森林原则)(United Nations,1993, Resolution 1, Annex Ⅲ);21 世纪议程(United Nations,1993, Resolution 1, Annex Ⅱ)的行动计划;生物多样性协议(United Nations Environment Programme, 1992a);联合国气候变化框架协议(document A/AC237/18(part2)/Add.1 and Corr.1,annex Ⅰ);联合国关于在那些严重干旱/荒漠化国家(尤其是非洲)的沙漠化防止协议(document A/49/84/Add.2,annex, appendix Ⅱ)。

主要关注经济和环境两方面,具体如下:

(1)经济方面:与作为木材及非木材产品来源的森林可持续性和森林中发生的一些经济活动相连接。人类为获取木材、燃料、饲料等对森林的砍伐率远超过其自我更新率,加上森林出清转向土地和其他用途,森林资源的数量和质量正不断下降。

(2)环境方面:①森林在碳循环中的作用:大规模毁林对区域和全球气候平衡的不利影响。②森林在水循环和土壤侵蚀控制中的作用:对森林的开发和出清将会导致一连串的连锁反应,较突出的就是土壤侵蚀和引起流域的不稳定。③森林对维持生物多样性和作为生物栖息地的作用:无论是天然林还是人工种植林,主要的森林管理实践活动迅速减少了森林中自然栖息地的多样性、物种的多样性、基因的多样性。④由酸化、火灾、不合理的林业实践或砍伐活动造成的森林退化。⑤娱乐、审美和文化功能:森林的减少和准入限制的增加,显著影响了那些以森林为生计的团体的谋生方式和他们的传统文化活动。

对热带、温带、寒带森林可持续利用关注日益增加,促进研究者开发各种各样的工具来监测森林的健康、土地利用的变化及森林对于国民经济的影响。这些工具包括将在本章中详细讨论的森林集成环境核算,包括环境统计数据及相关指标的框架和清单。下面将在第 4.1.2 节~第 4.1.4 节对 SEEA 中的森林进行概述;第 4.1.4 节是构造模块的应用;第 4.1.5 节讨论第 3 章中展示的逐步应用方法。

4.1.2　SEEA 中森林的内容

SEEA 中包含了林业用地、相关的生态系统、森林中的生物资产（植物、动物等）及其他与森林相关的资产。

4.1.2.1　土地

出于环境方面的考虑，SEEA 改变了 SNA 中土地的分类❶。树木繁茂的土地被明确划分为一种土地类型。不可开发的原始森林虽然不属于 SNA 的经济资产，但却被纳入 SEEA 的资产分类中。区分了非经济“环境”林地与栽培的和非栽培的经济林地。表 4-1 列出了在国家环境核算项目中不同国家采用的不同分类标准。

表 4-1　国家项目中的森林分类

项目	加拿大	澳大利亚	泰国	加纳	芬兰	菲律宾
原始森林（非栽培的）	X	X	X		X	
其中不可采伐的	X	X		X		
经济原因（包括“原始”森林）	X					
保护原因（国家公园等）	X			X		
其中可采伐的（木材生产）	X	X				X
种植林（栽培的）		X	X		X	
其中以生产木材为目的（可采伐的）		X			X	X
其中以休闲为目的						
共中以保护为目的（不可采伐的）						

栽培的经济林地是指那些所有权有归属的土地、木材和其他生物资产的自然增长/再生在社会事业机构的直接控制、管理之下，这种林业用地可以为土地所有者带来经济收益。人工林就是典型的栽培林地。在发达国家，原始森林较少，所有可开发的森林都被归类于栽培的经济林地。

非栽培的经济林地是指那些所有权有归属的土地（包括政府赋予的集体所有权），尽管林木的生长和再生也在为土地的所有者创造利润，但木材和其他生物资产的自然增长/再生没有在社会事业机构的直接控制、管理之下。已采伐或在可预见的未来可采伐的热带原始森林❷ 就是典型的非栽培的经济林地。如果用来提供服务的林地（主要是休闲娱乐，如公园等），其利用带来的收入至少等于管理、道路维护等所有成本，就可以认为这种林地的使用是经济的。

非经济“环境”林地包括受保护的和不可采伐的森林，指因为经济原因（如远离市场、生产率低及限制使用等）无法进行采伐的森林（包括原始森林），以及一些处于保护状态严

---

❶　1993 SNA 将土地分为四类：建筑用地、栽培用地、娱乐用地以及相关地表水、其他土地和相关地表水。

❷　天然林指那些并非种植的森林，或指那些尽管可能受到社会事业机构的一些保护和管理，但它们的自然增长不在社会事业机构的有效控制之下的森林。

格限制开发生物资源的森林。

4.1.2.2 生态系统

如果不考虑林地的经济或环境分类，可以依据关联的生态系统分类，例如“橡树乔木”和“地中海灌木带”等，在某些生态系统分类中也可以依据“状态”或“健康”分类❶。尽管国家林业调查（NFIs）（森林的类型、管理制度，及在土壤侵蚀、水循环、生物多样性、健康等中的作用等）促进了新参数的集成，但目前还没有统一的国际生态系统分类及状态划分标准。

4.1.2.3 生物资产

生物资产由生活在森林和其他树林茂盛区的动物、植物（包括树木和其他的森林动物群、植物群等）构成。制造的（栽培的）经济生物资产已与非制造的（野生的或非栽培的）经济生物资产区分开。

与森林相关的制造的经济生物资产，是指栽培的森林中生长的成熟或不成熟的植物和树，并且其自然增长/再生由拥有所有权的社会事业机构直接控制、负责和管理。它们可以这样归类：①重复生产产品（如做软木塞的材料、橡胶、浆果等）时为固定资产；②生产一次性产品（如一年生的植物、木材生产区的树等）时为在制品。

生活在栽培林地中的动物（如在森林放养牲畜补充林中狩猎的动物）可以看成是栽培的资产。然而森林中的动物群一般作为非制造资产。这种分类也同样适用于除树木以外的其他森林植物群。依照定义，制造的/栽培的生物资产的自然增长，也就是某特定物种因生物发育在给定时间内价值的增长，被作为产出记录在生产账户中，并视为总资本形成或相应的存货增加记录在对应经济活动（如农业、畜牧业、林业）的资产账户中。

非制造经济生物资源是指具有所有权归属，但它的自然增长/再生并不由社会事业机构直接控制，也不需要对其经营管理负责的动物和植物，如非栽培经济森林中的树、野生毛皮动物、蘑菇、块菌、药用植物等。非制造生物资产的自然增长和销售量与“非栽培的生物资源的自然增长”和“自然经济资产的枯竭”在 SNA 中都记录在“资产账户的其他量的变化”中。在 SEEA 中，伐木和经济使用造成木材的其他损失（比如，林地出清用做农业生产等）被分为“经济可持续利用”和“枯竭”两类。枯竭是指超出了可持续利用的部分，换句话说，枯竭削弱了森林长期提供经济产品的能力。这样区分经济可持续利用与枯竭也适用于其他非制造经济生物资源。因为缺少数据，现实中核算非林木产品通常非常困难。

非经济（环境）生物资源是指生活在森林中的动物和植物，这些动植物并不提供从中可获取经济利润的产品。非经济（环境）生物资源还包括保护林或难利用的森林，以及没有任何商业价值的动物群和植物群等。起初被归类为非经济生物资产的资源，可从环境分类转变为经济分类（如在保护林中发生的非法采伐或狩猎）。如果发生这样的情况，应当先记录它的经济显露（记录在“其他积累”中），而后在资产账户中记录它的枯竭（非可持续利用）。

---

❶ 为避免重复计算，第 3 章中的森林生态系统仅包括“环境”林地。WS4 中以实物量形式报告的经济林地及其质量指标，可根据相关的生态系统进一步分类。

4.1.2.4　与森林相关的其他资产

与森林相关的其他类型的资产包括:位于林地内,林业相关活动使用的森林道路和其他设施、非居住用建筑、林地和采伐生产的机器设备,为旅游者和参观者提供住宿等制造资产和非制造资产(如泥炭产品)。

4.1.3　实物账户

4.1.3.1　土地和土地利用账户

由于与很多环境问题如土壤侵蚀、土地利用变化等有紧密的联系,土地核算是 SEEA 的一个重要方面。在一些实用的 SEEA 版本中(包括本手册),缺少对环境功能或森林利用的价值估计,土地核算测量了森林的变化,据此可以推导森林变化可能的环境后果。

SEEA 中包括森林、树木茂盛地的面积账户和记录核算期分类土地面积变化的矩阵。通过流量分类,可以将这些土地利用变化矩阵同经济活动/自然原因联系起来。第 3 章的 WS4 中介绍了典型的“森林面积账户”,包括森林期初和期末存量及核算期内的变化。为了更详细地描述森林面积和核算期内发生的变化,应当以树种、森林的类型(天然林或人工林)、林地的主要分类(如经济栽培林、非经济栽培林、保护林等) 分别建立资产平衡表。

用面积测算的森林资产平衡表可以从 NFIs 或土地利用统计中得到。在没有官方的 NFIs 或土地利用统计数据时,可从国家、国际研究机构的研究结果或航片和卫星图片来估计森林资产平衡表。

4.1.3.2　森林自然资源账户

如第 3 章 WS4 中描述的,森林账户说明了用立方米做单位测量的立木存量在核算期内的净变化。存量变化的原因有自然增长、自然损失、采伐总量等。这些账户可以按树种(针叶树、阔叶树)、树龄及其他的结构参数细分。森林账户应尽可能按树种、森林类型(如栽培林、非栽培林、乔木、灌木等)和树龄等项目进行编制。分类越详细,对面积和体积、实物量与价值量相互间的关系反映得越准确。

以体积表示的森林账户为森林管理人员所熟知。监测和评价存量与流量之间的关系,在很大程度上就提供了森林管理所需要的信息。森林账户同样对建立碳平衡表和估算二氧化碳的吸收很有帮助。

从几个国家的研究案例(如一些北欧国家、泰国、菲律宾、智利等)来看,核算研究并不需太大的成本,也不难编制。通常可以通过森林调查项目或国际调查数据来估算森林的自然增长和损失,利用生产和外贸统计数据可以评价砍伐情况。相对而言,其他的利用方式(如木炭、自用采伐的林地等)比较难估算。

4.1.3.3　商品平衡表:木材的使用

商品平衡表对应于 SEEA 中的产品和原材料的流量实物账户,只是在格式上略有差异。它展示了经济系统中木材和木材产品的实物型投入和产出。在表 4-2 中,矩阵中间部分描述了部分木材加工行业的原材料流通情况。表 4-2 扩展了残余物和特殊用途(如能源消费)的流量,其信息丰富,可用来分析加工业中投入系数(材料利用率)的变化趋势,同时结合宏观经济规划和预测模型,可用来估算未来对林业产品的需求。林业产品的利用情况对考察木材和非木材加工业非常有用。表 4-3 展示了国际标准产业分类(ISIC)中对木材加工行业四位数的分类情况。

表 4-2　林业产品平衡表　　(单位:m^3)

项目	产品						
	原木	木柴	造纸木材	木材	木板	纸浆	纸张
净采伐量(从森林)	+	+	+				
+进口	+	+	+	+	+	+	+
-出口	–	–	–	–	–	–	–
±存货变化	+/–	+/–	+/–	+/–	+/–	+/–	+/–
=**初级供给总量**	=	=	=	=	=	=	=
-木材加工业使用量	–	–	–	–		–	
+**次级供给总量**	(+)			+	+	+	+
-非木材加工业利用量	(–)	–		–	–	–	
-最终利用	(–)	–					–

注:圆括号内的符号表示不重要的物质流。

表 4-3　木材加工业分类表

项目		国际标准产业分类(ISIC)	
木材采运业	02 部分	木材采运及其服务活动	
锯木等	20	2010	锯木和木材刨光
		2021	胶合板加工、夹合板、夹层芯板加工、颗粒板和其他镶板、木板加工
		2022	建筑物木工和细木工制品加工
		2023	木制器皿加工
		2029	其他的木料产品加工,软木塞、篮子和结绳材料的加工
纸浆业	21	2101	纸浆加工业
纸制品业	21	2101	纸张和纸板加工
		2102	瓦楞纸和纸板、纸张和纸板容器加工
		2109	其他纸张和纸板产品的加工

4.1.3.4　林木实物投入产出表

产业的物质平衡表可以从实物投入产出表中推导出来,它也可应用到林木产品中。这些表针对林木原材料的转换过程,以通用标准(每 1 000t 木材干物质量)为单位记录了木材产品进入林业的流程、能源利用、副产品的产出、木材残余产生废物和废物的情况。投入－产出表的行同上面的部门/商品平衡表相同,而列项反映了原材料和加工的木材间的具体转换过程。

以林木实物投入产出表为基础,可以显示用做能源的林木总量、资源的总利用率和基于林木的排放量(特别是排放到水体的有机物和生物化学需氧量)。为研究碳平衡,林木投入产出表补充了自然资源账户和商品平衡表。

很多国家已经编制或至少部分编制了森林自然资源账户,如加拿大、芬兰、法国、加纳、印度尼西亚、日本、菲律宾、韩国、泰国、英国等。有很多的林业自然资源实物账户每 5 年或 10 年编制一次,特定年份编制部门/商品和产业的物质平衡表。

4.1.4　价值核算:估值和汇总

运用下面的估值方法对林业的实物型自然资源账户估值可得到价值型账户。表4-4列举了几个国家的估值方法。

表 4-4　估值方法:国家的实践

项目	芬兰	加拿大[a]	澳大利亚	加纳	菲律宾	瑞典
木材						
立木价格[b]		X	X			
贴现						
无贴现	X	X	X	X	X	X
其他方法[c]						
土地	X	X			X	X
其他生物						X

注:a 指加拿大已经用几种方法进行了试验。b 指市场观测和(或)计算的残差项。c 指澳大利亚栽培的树脂林的保险价值。

4.1.4.1　土地估值

社会事业机构间实际进行的林地交易相当少见,大多数情况下立木和土地是捆绑销售的,要将土地和立木的价值分离非常困难。在不能分离立木和土地价值的情况下,通常认为土地－立木这种“复合资本应该归入其价值较大部分的分类”(1993 SNA, para.13.75)。一般来说,那些有大面积森林,但除木材生产外,没有其他重要的市场利用的国家,通常给土地价值赋予零值(如北欧各国)。

如果无法得到市场价值或不能从同类土地的交易资料中间接估算,土地的价值就只能通过评价未来期望净收益的贴现现值来进行估算,换句话说,就是以无限期内出租土地所获得的“经济租金”流来估算土地的价值。土地的经济租金等于它的净营业盈余(土地上生产活动的混合收入)减去在生产中投入的制造固定资产的(应付)利息和无工资工作的(应得)补偿。

土地的市场价值随其区位和利用方式(或能否得到官方的批文)而变化很大。因此,土地定价需要区分土地的地理位置及特定土地块的利用方式(1993 SNA,para.13.56)。因此,土地定价需要较详细的林地分类,而且这个分类必须考虑到土地给其所有者带来收入和经济利益的能力。这种收入产生能力取决于树木的品种、生长的体积、生长的年限和木材的用途,也取决于与加工厂的距离、砍伐和运输的成本,还取决于现有或潜在的经济利用,如狩猎、林产品采集、动物观赏和将来的建筑。通过对比实际交易和贴现计算得到的土地价格,可以更深入地理解价格的内涵,并且可检验立木价值评估中使用的贴现率的有效性。

4.1.4.2　立木的估值

SNA 指定了立木估值的方法,栽培立木的价值等于以现在的市场价格出售立木产生的净收益流(扣减栽培林木成材的支出)的贴现值。这种方法也同样适用于非栽培立木,只不过栽培成材的成本为零(1993 SNA,para.13.49)。

在计算木材的贴现值时,应全面考虑疏伐等措施的收益和成本,也就是说对森林采用最理想的经营管理措施取得的未来收益和成本。然而在应用中,由于数据缺乏,通常采用简化的贴现值,仅考虑皆伐成熟林所得到的收益。依据森林当前的年龄曲线,计算成熟的立木体积,乘立木价格后再进行贴现就得到立木价值的估计值。这种方法需要当前的年龄曲线,还需要假定一个贴现率。

通常运用的是一种简化的评估方法,假设自然增长率为林业的内部收益率从而不需要贴现,采用立木的体积乘立木价格就可得到存量的价值。虽然林木大多是没被砍伐时就已售出,但可能也无法得到立木价格。尤其是当林业、木材采运业和纸浆加工业形成一个纵向综合体时,很难观察到立木的价格。这时候只能从整个林业和纸浆业的数据中推算立木的价格。这样的综合体和垄断市场结构可能导致观测到的价格并不能反映真实(自由竞争的)市场价格。

依照定义,因法律原因或经济原因(如不可进入性等),森林中不可采伐的立木价值为零。因其难以进入,如果采运作业的成本高于市场价格,那么资源的租金就会为负值。在这种情况下也认为其价值为零。同样,如果森林因为提供其他的服务(如流域保护、防洪等)而不可开采,则认为它的价值至少要同木材的价值相等(Joisce,1996)。另一方面,因采运禁令而不可采伐的木材,SEEA 视为从经济资产转化为价值为零的非经济资产。当然,任何超过再生速率的非法采伐都应作为经济枯竭成本进行估值。

4.1.4.3　非栽培的生物资产估值(除木材外)

通常认为除木材外其他的非栽培资产(野生动物和植物种群)通常没有市场价值。它们的价值包含在土地和生态系统的价值内。然而,这些野生生物群的枯竭(通过收割、捕捞、狩猎)是需要考虑的价值。它的价值可以通过相关产品(如毛皮、兽皮、肉等)的市场价值进行推算。如前面提到的,大多数情况下它的价值很小,在森林账户中可忽略不计。有时它的价值非常重要(如毛皮、块菌、蘑菇、野生动物等),因而需要进行估算,这部分估值应作为林地价值的补充。

4.1.4.4　SNA 流量的分解

对于栽培森林,与森林相关的交易已经包含在传统的 SNA 中,可以分开确定。这样的交易由以下几方面构成。

(1)与林地相关的产出;

(2)与产出相关的成本:种植成本、林区公路建设成本、伐木成本等;

(3)森林保护支出。

依据上面流量的分解,可以通过估算木材、土地的价值和森林可持续利用的成本来评估森林的价值。

产出包括栽培森林的自然增长、木材或非木材产品、薪炭材产品、林中野生生物群的枯竭、娱乐服务产品如狩猎。环境保护和森林的经营管理活动包括防火、造林、土壤侵蚀防护、森林土壤改良(如减少土壤酸化等)防止非法狩猎和防治病虫害袭击等,也包括控制、监测和管理活动。

从政策的角度来说,区分提高森林采伐的活动(修公路接近采伐区等)与保护森林的活动非常有意义,公共财政投入的来源也应当分开(加拿大森林管理支出账户)(Statistics Canada,1997)。

4.1.4.5　计算 EDP

计算 EDP 要考虑两种成本:①以市场价值为基础计算的环境枯竭/退化成本;②以维护成本法计算的环境成本。

以下两项应从传统的国内生产净值中扣除:

(1)枯竭的价值。在采运、收获、狩猎或森林出清时迁移或损失的非栽培立木(也可以是其他森林的非栽培生物资产)的价值中,超出了可持续利用量的那一部分价值。

(2)减少的土地市场价值。由于林业、木材采运业、其他与林业相关的活动及毁林(林业用地的出清)造成的土地*退化*引起减少的土地市场价值。

采用维护成本计算 EDP,需要确定防止制造非经济资产和环境资产退化的最有效方法。就森林来讲,大多数情况是将采运、收获、出清等活动限制在可持续范围内,并减少排放,因为气体排放物通过酸雨反过来对森林产生影响。因此,维护成本主要指为减轻森林地区压力,节制和减少经济活动。

计算维护成本需要估算以下几方面的内容:①对应森林不同功能(固碳、水分保持能力、防止土壤侵蚀、保护生物多样性、提供休闲娱乐、文化、审美服务等)的可持续利用。②相应的(假定的)收入减少。这种损失可以限制在林业、木材采运业(当实际的伐木量超过可持续利用量时)、农业(森林出清用做农业用地)直接放弃的增加值范围内。

作为替代,森林的维护成本可解释为监测森林保护区、执行采伐禁令、避免森林发生火灾(主要是在土地使用上转为农业用地)等估算成本。

4.1.5 应用:逐步的方法

这一部分讨论在森林资源核算中应用第 3 章中介绍的逐步实现方法。

4.1.5.1 调整国民账户

步骤 1:编制供给和使用账户

步骤 1 的目的是在一般供给使用表中,确定和分离与森林资产和林业活动有关的交易。表 4-5 在产业分类中以单独列说明了与林业活动相关的交易事项。主要有林业、采伐、非林木产品的采集、狩猎等,也包括毁林活动(如农业、建筑等)。对排放危害森林气体的活动,在森林账户中没有详细的描述,但在气体排放物账户(第 3 章,步骤 7 和步骤 8)中进行了详细说明。

在不改变供给和使用表基本结构的前提下,相关的交易可通过增加 ISIC 的子类体现。在 ISIC 02 中就已经同时包括了林业与采运业,并尽可能将与林业和采运业相关的交易分开列出(见下文)。与林业相关的产品也应当分开列出,特别是栽培资产的自然增长、未加工木材和原木、森林的非林木产品等。

大多数国家的国民账户并不依照 1993 SNA 的要求将栽培资产的自然增长记为产出。将自然增长的价值作为林业的产出评价,将自然增长减采伐量作为栽培立木的存货变化(换句话说,资本形成总额中包括栽培资产的在制品),这对森林核算而言非常有用。

步骤 2:确定和编制与森林相关的环境保护支出

如 4.1.4.4 所示,与森林相关的环境保护包括防火、造林、森林土壤改良(加石灰等)、防止非法狩猎、防治病虫害等。随着森林的可持续管理逐渐成为现行的工作制度,森林环境保护支出包含了这些与"森林可持续利用"相关的实际额外成本,以及所有与保护森林(管理等)、森林监测(存量)相关的支出。

除一些环境保护支出是政府的非市场产出(防火、监理和经营)外,通常都是林业内部的支出,这些支出无法在传统的供给和使用表中作为产出记录。这些支出既可以在反映主要交易的森林环境保护活动中增加一个"其中"行来描述,这里主要的交易是指产出、中间消耗、固定资产消耗等(见第 3 章 WS2),也可以增加一个"其中"列来进行描述。

步骤 3:编制制造森林资产账户

制造森林资产主要由存货组成,也就是说栽培资产的在制品。它们相当于栽培林木用地上立木的价值。要编制栽培森林中立木资产账户,首先应建立一个立木的实物平衡表,然后通过估算的价格来估计相应体积的价值。表 4-6 展示了栽培森林的价值型资产账户。

表 4-5 供给与使用表中的林业活动

供给与使用账户									分类资产的资产平衡				
									制造资产		非制造经济资产		
									立木	其他	土地	立木	其他
ISIC 产业分类													
		农业	林业	木材采运业	其他	总计							
产出							进口						
CPC产品	农产品	X	X				X						
	自然增长		X	X		X							
	林木原木			X		X	X						
	其他	X	X	X	X	X	X						
	总计	X	X	X	X	X	X						
中间消耗							出口	最终消费	资本形成总额				
CPC产品	自然增长			X		X			X				
	林木原木				X	X	X	X		X			
	其他	X	X	X	X	X	X	X		X	X		
	总计	X	X	X					X	X	X		
GDP		X	X	X	X	X							
固定资产消耗		X	X	X	X	X							
NDP		X	X	X	X	X							
雇员报酬		X	X	X	X	X							
净税额		X	X	X	X	X							
营业盈余		X	X	X	X	X							

正如4.1.4节中指出的,简化的立木存量和存量变化的价值估算方法是用立木价格乘立木的体积,无需贴现。存货变化是"自然增长"(即森林的产量)减砍伐量(即木材采运业的中间消耗)的结果。其他量的变化包括:

(1)因为森林火灾或其他的意外事件引起的立木损失,不包括砍伐引起的立木损失。

(2)经济使用或分类引起的变化,如森林中的立木在核算期内被保护起来等。

表 4-6　栽培森林的账户

项目	制造资产					
	账目清单					固定资产(果皮栎等)
	建筑用材			其他	合计	
	树脂林	阔叶树	合计			
期初存量	X	X	X	X	X	X
资本形成	X	X	X	X	X	X
固定资产形成总额:						X
存货变化	X	X	X	X	X	
固定资产消耗						X
其他量的变化:						
森林火灾、暴风雨	X	X	X		X	X
其他	X	X	X	X	X	X
重估值	X	X	X	X	X	X
期末存量	X	X	X	X	X	X

根据得到的数据,可以对立木的账目清单进行详细的分解描述(如树脂林、阔叶树等)。重估值项是持有收益项,换句话说,就是立木市场价格变化引起的立木存量价值的变化。

4.1.5.2　自然资源核算

步骤 4:编制森林实物账户

非制造经济资产包括经济用地(特指林业土地)和非栽培(天然)经济森林中的立木两种主要类型。

表 4-7 是以*土地* 面积的实物单位(km^2)进行描述的。与第 3 章一致,表中只记录经济用地,保护土地、不可采伐的天然林地等在 WS6 中解释。影响土地并与森林账户有关的变化有:

(1)森林采伐和造林,如林地变为农业耕地和建筑用地,反之亦然;

(2)经营方式转换收益,如从自然环境林(非经济林)转变为经济林;

(3)经营方式转换损失,如木材生产的栽培林(经济的)转为保护林(非经济的);

(4)分类变更,例如从栽培林转换为天然林;

(5)质量变化,土地依照质量分类时发生的质量变化。

影响非栽培林(天然林)中立木的主要变化有自然增长、可持续利用、枯竭、灾难性的损失(如火灾)。立木存量的变化可能是对应的土地利用变化(经营转换或分类变更)的副产品。其他的非栽培经济资产主要是森林中的野生生物群(动物群和植物群)。

表4-7　非制造经济资产实物型账户

项目		非制造经济资产				
		非栽培立木(m^3)	土地的经济利用(km^2)			其他
			森林	其他	合计	
期初存量		X	X	X	X	X
经济利用	可持续利用	−				−
	枯竭	−			−	
其他累积	自然增长	+				+
	森林采伐	(−)[a]	−	+		
	造林		+	−		
	经营方式转换(收益)	+	+	−		
其他量的变化	灾难损失	−				
	自然移植		+	−		
	经营方式转换(损失)	−	−	+		
	分类变更	−	−	+	+/−	
	其他	+/−	+/−	+/−	+/−	
期末存量		X	X	X	X	X

注:a指未包括在“经济利用”中的土地出清(森林采伐)造成的木材损失。

步骤5:森林估价:编制价值账户

在步骤5中,给非制造经济资产的存量和流量赋予了货币价值。表4-8给出在WS5中曾显示的森林和土地项的详细说明。用于计算价值型账户的估值方法已经在第3章和本章的第4.1.4节中讨论过。

非栽培森林中立木在核算期初的存量和期末的存量,可通过各自的立木价格进行估值。而对于其他影响立木体积的自然增长、枯竭和其他量的变化可以依照平均价格(期初和期末的平均价格)进行估值。

经济用地在SNA价值型平衡表中以市场价格记录。尽管SNA建议将森林土地价值与立木价值分离,但实际上做不到。因此,在编制木材和森林土地的价值型账户时,要特别注意重复计算的问题。林地价值的变化可能要归因于土地生产力的下降(落叶等)。如果能将这种变化从市场价格的变化中分离出来,应将其记录在反映退化的特定行中(表4-8未列出)。

表 4-8　非制造经济资产价值型账户

项目		非制造经济资产				
		非栽培的建筑用材	土地经济利用			其他
			森林	其他	合计	
期初存量		X	X	X	X	X
经济利用	获得减处置		(+/−)	+/−	+/−	
	总固定资产形成		(+)	+	+	
	可持续利用	−				−
	枯竭	−	+	+	+	−
其他累积	自然增长	+				+
	森林采伐	(−)[a]	−	+		
	造林		+	−		
	经营方式转换（收益）	+	+	+	+	
其他量的变化	灾难损失	−				
	自然移植		+/−	+/−		
	经营方式转换（损失）	−	−	−	−	
	分类变更	−	−	+	+/−	
	其他	+/−	+/−	+/−	+/−	+/−
期末存量		X	X	X	X	X

注:a 指未包含在“经济利用”中的土地出清(森林采伐)造成的木材损失。

4.1.5.3　环境退化核算

步骤 6:编制实物型环境森林账户

如表 4-9 所示,步骤 6 描述了:

(1)所有的非经济用地,指除林地和相关生态系统外的所有土地,也是步骤 4 中没有描述的土地;

(2)所有的非经济森林(林业面积和立木体积)及相关的生态系统;

(3)其他环境资产,也就是非经济资产:动物群、植物群、水、空气等。

核算所有林业土地和立木存量,影响这些存量的变化,包括不同类型森林间的转换(从经济林转换为环境林等),这一步是必需的。

全面地描述非经济森林,需要从环境和生态的观点(如落叶水平、生物多样性等),对生态系统(如森林类型等)和森林的状况进行分类。

表 4-9　实物环境资产

<table>
<tr><th colspan="2" rowspan="3">项目</th><th colspan="4">环境(非经济)资产</th></tr>
<tr><th rowspan="2">土地和陆地生态系统(包括森林)(km²)</th><th colspan="2">森林和林地(受保护或是不可采伐的等)</th><th rowspan="2">与森林相关的其他资产(任意单位)</th></tr>
<tr><th>(km²)</th><th>(m³)</th></tr>
<tr><td colspan="2">期初储量</td><td>X</td><td>X</td><td>X</td><td>X</td></tr>
<tr><td>经济利用</td><td>森林采伐</td><td></td><td>–</td><td>–</td><td></td></tr>
<tr><td rowspan="2">其他累积</td><td>净自然生长</td><td></td><td></td><td>+/–</td><td></td></tr>
<tr><td>经营方式转换(损失)</td><td>–</td><td>–</td><td>–</td><td></td></tr>
<tr><td rowspan="3">其他量的变化</td><td>经营方式转换(收益)</td><td>+</td><td>+</td><td>+</td><td></td></tr>
<tr><td>灾难损失等</td><td></td><td></td><td>–</td><td></td></tr>
<tr><td>分类变更</td><td>+/–</td><td>+/–</td><td>+/–</td><td></td></tr>
<tr><td colspan="2">期末存量</td><td>X</td><td>X</td><td>X</td><td>X</td></tr>
</table>

步骤 7：编制经济部门的排放物

步骤 7 中涉及三类主要的排放物：

(1)林业和相关产业的排放物；

(2)影响森林的排放物；

(3)对二氧化碳(CO_2)的吸收。

对于第一类，只有极少数的污染物质与林业和木材采运业直接相关。然而，纸浆的生产与利用木材和纸类产品会产生黑液、木屑和纸张的浪费等，描述这些问题可能非常有用(如对于碳平衡问题的意义等)。影响森林和森林生态系统的排放物主要是酸性大气污染物。

森林对 CO_2 的吸收和木材中的碳固定，对于"全球变暖"问题有重要的意义。这些效应部分抵消了化石能源燃烧排放的 CO_2。评估 CO_2 的吸收十分复杂，因为即使经过很长的时间，CO_2 仍储存在木材产品、森林土壤和树根中，只有自然增长吸收的 CO_2 用现存的系数才比较容易估计。

步骤 8：环境退化的维护成本计算

维护成本计算是从数量和质量的角度评估维持森林现状的额外成本。维护森林状态包含的前提是：

(1)界定森林的可持续利用，即森林相关活动的可持续性状态，主要是木材采运业的可持续性。

(2)将与森林不相关的活动对森林的影响减少到可持续的水平。

森林的可持续利用状态需要通过模型来界定。这是一项很复杂的工作，因为模型要依赖于一些实际的参数，如森林的年龄结构、森林生态系统的生物多样性、森林的生态功能(固碳)、土壤和水的保护及社会偏好,或是附属成本(如新的管理方案、造林等所需的额外成本),也可以将二者结合起来界定。最有效的组合成本就是森林相关活动的维护成本。

为了维持森林生态系统的质量,有必要降低与森林不相关活动的维护水平,或采取补充的环境保护措施来减少这些活动对森林生态系统的不良影响。因为这些成本(如为了减少酸性气体排放的成本),无法和森林的维护相关联,所以通常只是进行全球性的估算。然而,有一些活动直接影响森林的状态。例如在发达国家,狩猎活动引入的猎物和猎物的繁殖可能破坏幼树,同样农业的扩张经常造成砍伐森林。在这些例子中,这些活动对于森林的直接影响可通过使它们本身进入一种可持续状态或通过增加额外成本(种植、保护等)来控制。这两种情况下放弃收入的维护成本或应负的环境保护成本是可以计算的。

当估算与森林的可持续利用相关的维护成本时,要确保避免重复计算。例如,当可持续利用可以通过减小砍伐实现时,可通过木材采运业增加值的减少量来粗略估算维护成本。在步骤 5 中计算的枯竭补贴也应当相应地减小。

4.2 地下资产

这一节勾勒了 1993 SNA 和 SEEA 中推荐的地下资产账户的概念和编制地下资产账户的方法。遵循第 2 章和第 3 章叙述的方法,详细讨论了与地下资产账户编制相关的问题,并回顾了各国的实践。至今对于枯竭的核算,特别是编制地下资产账户,国际上还没有达成一致的概念和方法。但有几个发达国家和发展中国家已经编制了地下资产账户,在这些方法中我们可以发现一些共同的性质。

4.2.1 实物型账户

4.2.1.1 存量定义

在 1993 SNA(p.309)中"地下资产是指在当前的技术条件下,位于地表或地下,经济上可开发的探明矿物资源储量……地下资产包括煤、石油、天然气储量、金属矿产储量、非金属矿产储量……",SEEA 采用与 SNA 相同的定义。一些国家建议选择广义的储量定义(见表 4-10),主要是基于下面两个原因:①报告的数据是依据广义的储量分类整理的;②已经探明的储量对宏观经济和长期的可持续发展评价来说作用十分有限。

地下资产根据以下两方面来分类:①地质确定性程度;②储量开发的经济可行性程度。

图 4-1 的 McKelvey 图说明了根据经济可行性(竖轴)和地质确定性程度(横轴)对地下资产进行的分类。依地质确定性程度将资源分类为已经发现的(探明的、可能的、潜在的)资源和尚未被发现的资源。发现的资源和尚未发现的资源的储量界线因开发和发展,以及不同的地质条件和技术进步而变化。另外,经济可行性依照价格、开采成本和技术上的可开发性将其分类为经济的、接近经济的和亚经济的。

表 4-10　经济储量的界定和权重

国家	探明的	可能的	潜在的	尚未发现的
澳大利亚	X(1)	X(1)		
加拿大	X(0.95)	X(0.90)		X(只有实物量)
智利	X(0)			
韩国	X(1)			
荷兰	X(w)	X(w)	X(w)	
挪威	X(w)	X(w)	X(w)	X(w)
菲律宾	X(0.81—0.90)	X(0.71—0.80)		
英国	X(1)	X(1)	X(1)	X(上限和下限的平均值)
联合国	X(1)	因缺少数据没有列出		

注:括号中数字是指在获利的前提下,从储量中提取资产的可能性。

来源:Australian Bureau of Statistics (ABS) (1997), Statistics Canada (1997), Banco Central de Chile and Servicio de Geologíay Mineríal (SERNAGEOMIN) (1997), Kim 等 (1998), Pommée (1998), Statistics Norway (1998), Domingo (1998), Vaze(1996), United States Bureau of Economic Analysis(1994)。

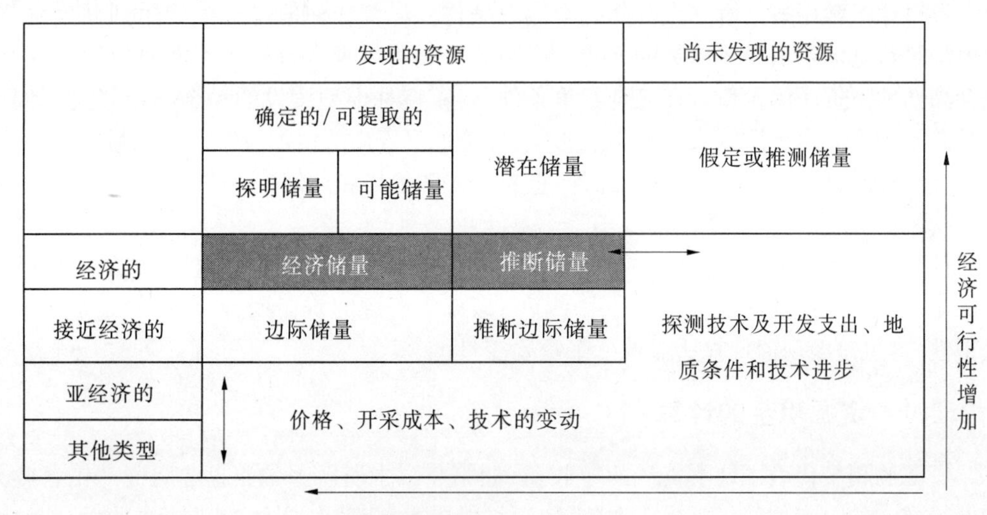

来源:Statistics Canada(1997), P.32。

图 4-1　McKelvey 图

从经济的角度,可以开发并具有一定地质确定性的资源,被定义为"经济储量"。经济储量分类(图 4-1 中以阴影区代表)是在获利的前提下,从储量中提取资产的可能性为基础的。如表 4-10 中说明的,不同的经济储量定义中使用不同的可能性来权衡不同的分类。

4.2.1.2 固定资产或存货

地下资产与固定资产和存货不同,主要区别在于地下资产并不需要生产过程创造。尽管地下资产不是固定资产,也不是存货,但是具有两者的特性。在 1993 SNA 中所有利用自然资产产生的收益都作为收入记录,明确地作为部分营业盈余。这里隐含的假设是自然资产是不可枯竭的,因此不需要对收益进行扣减。有人认为自然资产与固定资产有极大的相似性,因此对枯竭也应当进行折旧处理,并从 NDP 中扣减(United States Bureau of Economic Analysis,1994;Hill 和 Harrison,1994;Hill,1998)。有些人则认为应当把枯竭像存货那样处理,认为枯竭是对自然资产存量的提取。因此,全部的租金价值应作为中间消耗并从 GDP 中扣除(Vanoli,1997)。

4.2.2 估值

在 SNA 中首选的资产估值方法是基于市场交易的价格,然而对地下资产并没有足够的交易来建立有意义的市场价格。因此,SNA 指出“储量的价值通常可以根据商业开发产生的期望净利润流的现值”来确定,尽管这样估值有不确定性因素的影响并需要进行修正(1993 SNA,para. 13.60)。
第 3 章概述了常用的估值方法及其基本假设条件。尽管在估值过程中要用到贴现率,净现值法是首选的估值经济储量的方法。经验分析表明尽管净价格法不需要使用贴现率,但会高估地下资产的价值。在完全竞争条件下,霍特林模型假设的租金与市场利率同步增长并不现实。由于勘测或重分类的影响,经济地下资产的增加量常比开采量大,这实际是说,经济地下资产不是有限的。此外,世界上矿产价格和开采数量也并不受完全竞争市场的支配。

计算地下资产的净现值(第 3 章专栏 6),包括估计资源的租金、选取贴现率、估计资产的正常利润。在预期发现量和开采率下可以确定资源的寿命期,即可以确定资源的可获得性,这也是净现值计算所需的一个重要变量。

4.2.2.1 资源租金的计算

资源的租金代表了地下资产的净收益,如第 3 章中所解释的,通常用资产销售收入和开采成本的差来估计。开采成本包括:原材料成本、劳动力成本、制造资本收益(应注意的是制造资本收益不含税金)、特许开采权使用费和其他与开采过程不直接相关的成本。或者用净营业盈余加特定税减资本收益来估计[1]。计算净现值需要估算未来开采量和资源的租金。因缺少直接资料,通常假定当前的开采率和资源租金在储量的剩余年限内保持不变。就共生矿石联合开采而言,资源租金的计算存在重复计算开采成本的风险。这种情况下总成本必须分摊到不同的矿产中,如依照不同矿产对总收益的贡献进行分摊。

地下资产的价值不稳定,对价格的变化、贴现率和资本的正常收益的假设非常敏感。

---

[1] 当政府是地下资产的所有者时,可直接根据政府从资源开采公司那里征收的费、税、特许开采权使用费的总和来估计资源租金。

这种不稳定性并不足以影响矿业公司的行为,因为资源在短期内(在某一特定年份)可能是不经济的,可能产生负租金,但长期而言就可能具有商业可开发性。为了消除这种影响,有些国家选择采用移动平均价格的方法(Australian Bureau of Statistics(ABS),1997)。负租金可能是由于估计中的问题引发,因为租金估计的是剩余价值,更重要的可能是转移定价(为避免或减少国家收取租金,公司故意错误核算)的出现。如第 3 章所示,资源的负租金设为零,并在资产账户中记录。

4.2.2.2　贴现率的选取

SNA 建议采用基于某种特定类型资产交易产生的贴现率来进行估值,而不是基于政府债券收益这样的普通利率。贴现率是指资产所有者对今天收入而非未来收入的时间偏好,及与未来收益相联系的时间风险。通常个人和公司需要比政府更快地从资源所有权中获得利润。典型的“私人”贴现率年均在 7%～9%间变化。相比,政府和社会的贴现率要低几个百分点,一般在 3%～6%之间。表 4-11 说明了在净现值计算中采用的不同的贴现率。

表 4-11　贴现率

国家	贴现率	说明
澳大利亚	13.1%～8.6%(真实的)	大企业的银行借贷利率减生产者价格指数(13.1%)和消费者物价指数(8.6%)
加拿大	4%(真实的)	地方政府超过 30 年的不动产借贷利息平均值,是纯粹的时间偏好,风险因子为零
韩国	净价格法(无贴现率)	
荷兰	8%(名义的)	政府债券长期名义利率的 10 年移动平均值
挪威	7%(实际的)	
菲律宾	净价格法和使用者成本补贴法(贴现率:5%和 10%)	
英国	6% 3%	社会时间偏好率(6%) 储备增加 3%来代替
联合国	3%(真实的) 10%(真实的)	长期时间偏好率近似值 长期商业投资报酬率近似值

来源: Australian Bureau of Statistics (ABS) (1997), Statistics Canada (1997), Banco Central de Chile and Servicio de Geología y Minerίal (SERNAGEOMIN) (1997), Kim 等 (1998), Pommée (1998), Statistics Norway (1998), Domingo (1998), Vaze(1996), United States Bureau of Economic Analysis(1994)。

4.2.2.3　资本的正常收益

实际上在资源租金估计中计算资本的正常收益非常困难,主要是很难将收益分解为与固定资产和资源相关的部分。净营业盈余估算为资产出售所得收入与劳动力成本、原材料成本、固定资产消耗的差。净营业盈余包括返回给一个企业所有资产的收益,即返回给制造资本、非制造资本和人力资本的收益。因为产业部门未来的收益有风险并且需要给付报酬的资本要比固定资产大,所以固定资产的收益率要大于贴现率。欧盟统计办公室(Eurostat)地下资产专门工作组(Eurostat,1998b),建议使用从制造业数据中推导的比率或采用公司股东收益的比率来代表资本的正常收益率,这个值应该在8%~10%之间。

除了自然资本的收益,资本的正常收益还包括生产过程中利用的其他所有资本的收益。在缺乏不同类型资本的收益信息时,资本的收益率通常只计算制造资产的。对采矿和其他制造业来说,资本的收益率估计为净营业盈余与固定资本存量价值的比例。表4-12说明了在净现值和净价格计算中采用的不同资本的收益率。

表4-12　资本的正常收益率

国家	资本收益率	说明
澳大利亚	金属采矿8%, 石油天然气12%	利用采矿公司基于平均利润率估计的资本存量和劳动收益推导
加拿大		基于长期工业债券利率确定的名义利率
智利	目前没有估值	
韩国	10%	
荷兰		没有估值,假定净现值大致等于政府从资产开采中取得的特定收入的期望价值
挪威	8%	基于对给定的风险项目的成本-效益分析(挪威政府报告)
菲律宾	5%	投资于开采和勘探固定资产上货币的机会成本
英国	15%	英国石油天然气体系的"安全"利率
联合国	6%	45年来公司债券和股票投资的平均真实报酬率

来源:Australian Bureau of Statistics (ABS) (1997), Statistics Canada (1997), Banco Central de Chile and Servicio de Geología y Minerial (SERNAGEOMIN) (1997), Kim 等(1998), Pommée (1998), Statistics Norway (1998), Domingo (1998), Vaze(1996), United States Bureau of Economic Analysis(1994)。

4.2.2.4　资源的寿命期

通常资源的寿命期是用核算期初的存量与年内开采资源量的比例来估算。显然这种方法忽略了新发现量的影响。为避免这一问题,提出了一些建议:①用核算期初存量与核算期内增加量之和除以开采量;②用核算期初存量除以净开采量(即开采量减发现量)(Organization for Economic Cooperation and Development(OEDC),1998)。

4.2.2.5　存量和存量变动的估值

期初与期末的存量价值,可以应用第3章中说明的净现值(净价格)法计算。价格和技术变化引起的储量枯竭、发现和重新分类都影响存量的变化。这可用各自的实物量乘单位资产的平均价格来估值。单位资产的平均价格是用核算期初和期末的存量现值除以存量的实物量,并取二者的平均值得到。重估值项是作为余项估算的,这与第 3 章中的解释相同。

4.3　土壤退化核算

4.3.1　简介

在各种自然资源中,与土壤和水结合在一起的土地,对处理农业和粮食问题的决策者特别重要。逐渐加剧的压力引起的土地退化和污染,可能使土地丧失部分或全部的生产能力。全球土壤退化评估研究(GLASOD)估计,从中世纪开始在总计 87 亿 hm^2 的耕地、草地和林地中,估计有近 22.5% 已经开始退化。依据 UNEP 的*世界荒漠化地图集*(1992b)"在干旱区、半干旱区、干燥的半湿润地区每年有近 $6\times10^6hm^2$ 的土地(以前有生产力的土地)丧失了粮食生产能力。就收入而言,这项生产能力破坏的代价(以 1990 年价格计)大约为每年 432 亿美元……就面积而言,亚洲遭受荒漠化破坏的面积最大,有 $1\,312\times10^6hm^2$ 的旱地退化。就荒漠化的严重性而言,北美和非洲是至今为止最为严重的,73%～76%的旱地都已经退化"。表 4-13 对当前的情形进行了概述。

表 4-13　易受影响的旱地和其他区域土壤退化的主要原因　(单位:10^6hm^2)

地区	干旱区	荒漠化	过度放牧	农业	过度开发	生物产业	总退化	总计
非洲	易受影响	18.6	184.6	62.2	54.0	0	319.4	1 286.0
	其他	48.2	58.5	59.2	8.7	0.2	174.8	1 679.7
亚洲	易受影响	111.5	118.8	96.7	42.3	1.0	370.3	1 671.8
	其他	186.3	78.5	107.6	3.8	0.4	376.6	2 584.1
澳洲	易受影响	4.2	78.5	4.8	0	0	87.5	663.3
	其他	8.1	4.0	3.2	0	0.1	15.4	218.9
欧洲	易受影响	38.9	41.3	18.3	0	0.9	99.4	299.6
	其他	44.9	8.7	45.6	0.5	19.7	119.4	650.8
北美	易受影响	4.3	27.7	41.4	6.1	0	79.5	732.4
	其他	13.6	10.2	49.1	5.4	0.4	78.7	1 458.5
南美	易受影响	32.2	26.2	11.6	9.1	0	79.1	516.0
	其他	67.8	41.7	51.9	2.9	0	164.3	1 251.6
总计		578.6	678.7	551.6	132.8	22.7	1 964.4	130 12.7

来源:World Atlas of Desertification (United Nations Environment Programme,1992b)。

为了使这些资源的使用者意识到不适当经营的危害,需要有一个关于土地资源状态和问题区域最新信息的系统。信息系统应该很容易使用,并能存储详细的自然资源信息,以便于数据综合、更新和分析。这样的系统将加强国家土壤/土地机构发布可靠信息的能力,这些信息是高效利用这些资源和执行发展计划的先决条件。实现这个目的需要采取两项措施:第一,开发一个既能反映当前土壤退化状况,又与国家/区域的经济形势相关联的宏观信息系统(如在 SEEA 中包括的);第二,需要编制详细的分解信息以进行深入分析。为了满足第二项要求,有必要将农业气候条件数据库、土壤与地形的关系数据库、水利与水资源数据库、土地覆盖/利用数据库、社会－经济数据库连接起来并包含在 SEEA 中。在本节中说明了怎样编制包含在 SEEA 中与土壤退化相关的总量指标,同时还向读者介绍了全球土壤和地形数据库(WORLD－SOTER)与 GLASOD(Oldeman,1996)数据库,这两个数据库主要处理土壤存量和土壤退化状态的概念和定义,这两个数据库对制定行动计划非常有用。两个数据库的关联将进一步增强系统的分析能力。

4.3.2 土壤退化的过程

土壤退化可以描述为土壤的一种或多种潜在的生态功能被破坏的过程。这些功能与生物量的生产(营养物、空气和水的供给、植物根部的支撑)、过滤、缓冲、储藏和转化(如水、营养物、污染物)、生物栖息地和基因储备相关。土壤退化可定义为降低现在或未来土壤生产产品和提供服务能力的过程。土壤退化可分为两类,即土壤矿物质的转移(如水力或风力造成的土壤侵蚀)和土壤覆盖物就地的化学或物理退化。下面是土壤退化的划分类型和子类。联合国粮农组织(FAO)等机构给出了相关的定义(1994a)。

- W:水蚀
  - Wt:表土流失
  - Wd:地表变形/块体运动
  - Wo:易地影响
    - Wor:水库沉积
    - Wof:洪水
    - Woc:珊瑚礁和海藻破坏
- E:风蚀
  - Et:表土吹失
  - Ed:地表破坏
  - Eo: 沙尘
- C:化学损失
  - Cn:养分和(或)有机质流失
  - Cs:盐化
  - Ca:土壤酸化作用
  - Cp:污染
  - Ct:酸性硫酸盐土
  - Ce:富营养化
- P: 物理损失

Pc:板结,紧实和结壳
Pw:水渍化
Pa:干旱化
Ps:有机土下移
Po:其他的物理活动,如采矿和城市化带来的影响

4.3.3 生物功能退化

土地/土壤退化可以是自然灾害、土地利用、土地管理实践不当造成的结果。自然灾害包括土地地貌和气候影响因素,如陡峭的斜坡,频繁的洪水和台风,强风、强降雨,湿润区的强淋溶和干旱区的干旱情况。在土地脆弱区的毁林,对植被的过度采割、轮作、过度放牧、肥料使用失衡、土壤保护不足及过度抽取地下水(超过补给能力)也是导致土壤侵蚀的人类活动。由于只有经济活动引起的质量变化记为生产成本,因此需要确定土壤退化的原因,以便将其作为 SEEA 中的应负环境成本。

4.3.4 SEEA 和 1993 SNA 中的土壤退化

在 1993 SNA 和 SEEA 中(更明确地)将土壤与土地一同定义。一个国家的土地面积一般是固定不变的,只有通过土地开垦,政治原因或少见的自然灾害而发生变化。SEEA 中将总的土地面积分为三部分:①土壤;②经济利用的土地面积,如建筑用地、耕地、娱乐用地和林地;③与生态系统相关的非经济用地。为编制与土壤退化相关的流量,只考虑农业用地或与农业活动相关的土壤(现在讨论的主要焦点)。就 SEEA(见第 3 章中 WS4 和 WS5)而言,有两项与之特别相关,将土地改良和质量变化记录在 1993 SNA 定义的固定资产形成总额和经济消失中。

*固定资产形成总额(P.51)*包括土地改良和土地所有权转让的成本。改良土地覆盖物的成本除包括填海和森林出清中开垦土地的成本外,还包括土壤保护措施方面的支出。土壤保护的支出包括两种类型:①由政府(通常是法人团体)为保护土地及相关的土壤免受洪水和风蚀建筑防护工程的支出及铺设灌溉和排水渠道等的支出;②个体土地所有者(家庭、法人团体和政府)在其"所有"的土地上修堤、修梯田和排水渠道等支出。通常这两项都包含在编制的国家账户中。然而,还有一个特殊项需要考虑,就是种植改善土地质量(生产力)的绿肥作物(放弃生产)的成本。种植这种作物的成本(包括应负的劳动力成本)也应该计入土地改良的支出中。轮作等栽培活动的影响将在后面的项目中间接计算。

*非制造资产的其他经济消失(K.62)*包括两部分:①经济利用变化引起的非制造资产的质量变化,包括土地利用变化引起的土地价值减少(增加),如将耕作地转为公共牧草地——作为分类变化记录;②经济活动引起的非制造资产退化,包括经济(农业)活动造成的所有土地退化。正如第 3 章说明的,在 SEEA 中将土地利用的变化计入"其他积累"中,将土地退化记为环境成本。经济活动可能引起普遍的、反复出现的土地退化,也可能像毁林和管理不善那样对土地造成难以预料的侵蚀和其他损害(1993 SNA,paras.12.32,

12.33)。偶然的重大自然灾害造成的土地退化,更多具有资本损失的含义,在 SEEA 和 SNA 都将其计入“其他量的变化”。

固定资产形成总额(P.51)估计通常是以普查或抽样的方式从农场主处获得的数据和政府支出明细数据为基础。在一些发展中国家,可以获得基准年的相关数据,然后可通过耕作的土地面积和乡村劳动力工资率指标来推断其他年的数据。农民从事的建筑工作是劳动密集型的,平均可能工作 2~3 年,同时具有较高的维修和维护成本。

将每种土壤退化归于单个原因是不可能的。为了量化人类活动引起的土地退化,同时为了编制 SEEA 的条目,需要首先评价土壤退化的程度、土壤退化的相对范围和土壤退化的原因这三方面的内容,然后估计土壤退化的数量和价值。

4.3.5 土壤退化的测量

土壤侵蚀的影响非常复杂。一些可以通过适当的保护计划和改进耕作活动进行恢复,另一些是不可恢复的。不可恢复的影响包括冲沟、冲刷和强烈的片状侵蚀造成的大范围水土流失等。当退化不可恢复时,评价土地退化的实际程度和影响就非常困难,因为农民可以将土地转化为需求少一些的利用形式或增加土地的投入。

从 20 世纪 30 年代初期至今已经开发了很多预测土壤侵蚀的方法。这方面的工作通常需要处理不同类型的土壤类型。例如, Cook(1936)建立了土壤侵蚀通用方程的概念框架,并预测了水的片状冲刷和细沟冲刷的土壤侵蚀量,Wischmeier 和 Smith 对此进行了修正(1978)。该方法使用降雨侵蚀能力、土壤侵蚀度因子、坡长和陡度等来测定平均年度土壤损失。Woodruff 和 Siddoway(1963)对土壤的风蚀测定也做了类似的工作。然而,只有 20 世纪 90 年代开展过在区域或全球尺度上评价土地退化的类型和范围方面系统的研究。最重要的土地退化研究包括:Oldeman Hakkeling 和 Sombroek(1990)的全球土壤退化估值图,Dregne 和 Chou(1992)对干旱地区的对比研究。专栏 8 中叙述了土壤数据库的开发现状。研究工作如 GLASOD 采用专家定性评价的方法估计了全球土壤侵蚀的状态。近几年来基于实际收集的数据也作了一些土壤退化估算的工作。在附件Ⅳ中从不同渠道取得的实例对这些方法进行了描述。

在退化影响的经济评估中使用了大量的方法,其中退化成本的测量方法有[1]:①防止土地退化的土壤防护工程、排水灌溉系统、修筑梯田等防御性支出;②产量损失的价值[2];③土壤营养物质损失的置换成本;④采用收入补贴,通过再投资部分从土地获得的收入来维持同样的收入水平(Lutz 和 Serafy,1998);⑤将土地恢复到以前的生产条件的成本。每一种方法都从不同的角度测定了土壤退化,有的只运用于特定类型的退化估算,而有的可以普遍应用。

---

[1] 更全面的讨论土壤资源估值方法参见 FAO 等(1994)。

[2] 因简单而且适用于所有类型的土地退化,该方法得到了广泛应用。在该方法中,用作物产量或其他产出扣除中间投入和固定资本消耗来估计非退化和退化的土壤,然后定价。差值衡量了损失产量的价值。如该价值被认为是永久性损失,则需外推和贴现,来得到核算期内土壤侵蚀的总损失。

专栏8　CLASOD和WORLD－SOTER项目

联合国环境规划署(UNEP)在1987年提出了开展全球土壤退化评估(CLASOD)的项目建议。该项目开发了很多创建土壤和地形数据库的方法。CLASOD项目的主要目标是针对不恰当的土地和土壤管理引起的危害,增强政策制定者和决策者的全球意识。项目的一项主要成果是用非专业术语为潜在的用户提供了土壤和地形资源的信息(以数字化地图的形式)。

由于评估的不是土壤退化过程中土地资源的脆弱性,而是土壤退化的状态,因此CLASOD地图可以帮助政策制定者和资源管理者确定需优先干预的地区。

要评估土壤的脆弱性,需要有一个关于土壤和地形资源的综合信息系统,因此开发了全球土壤和地形数据库(WORLD－SOTER)。该数据库是一个全球支持的土地资源信息系统,存储了不同层次上详细的土壤和地形属性,这样确保了其中的数据可以评估、组合和更新,也容易从潜在的土地利用、粮食需求、环境影响和保护的角度进行分析。

随土地管理技术的改进,仅计算安装土壤保护措施的成本已明显不够充分,因为尽管采用了这些措施但土壤可能仍在枯竭。在维护估值方法中,将土壤恢复到核算期初的状况,估算土壤的枯竭和退化需要考虑下面三种成本:①为维持生产力水平,替代投入土壤营养物质的成本;②替代土壤有机物和重建土壤有机物构成的成本(如放弃一部分土地的生产转为种植绿肥作物);③替换侵蚀土壤的成本。实际中前两种成本相对容易估算,第三种成本通常难以估算,因为替换土壤侵蚀的自然过程非常缓慢,而且经常需要土地处于休耕状态,这将导致很高的成本。在计算此类维护成本时,应特别注意重复计算的问题。

综合评价给定区域(国家、区域、亚区)的土壤退化时,实际上可以通过考虑生产力下降和土壤退化的诱发因子来估算维护成本。核算这种成本需要利用土壤图,以便按照引发土壤退化的主要原因对总面积按组分类[1]。为了说明替代土壤营养物的所需成本,需要对土地面积依照土壤退化程度进一步分类,同时还需要编制每一亚类的平均生产力数据。这可以通过作物评估调查的结果得到(Narain.1995)。这样的调查中,也可以同期收集一些有关土壤性质的数据(Food and Agriculture Organization of the United Nation (FAO),1995a)。利用这些表格化的结果,可以得到更准确的估计替代土壤营养物的单位价值。按土地退化主要原因得到的受影响土地的详细分类资料,也可以成为防止土壤进一步退化的保护措施的成本估值基础。估计为土壤保护所建设的资产的使用年限,并将总成本在使用年限内进行分摊。这一部分成本应当归入前面提及的第三种成本,即为实现土地可持续利用而替换受侵蚀土壤的成本。

---

[1] 关于土壤退化程度、相对范围和诱发因子的全面描述,参考L.R.Oldeman(1993)。

4.3.6 结论

附件Ⅳ中介绍的很多方法大致可分为两类:利用野外收集实际数据的方法和基于专家判断的方法(GLASOD)。结合两类方法可以得到成本有效的可靠估计结果。GLASOD中的数据可用于土地分层,反过来土地分层可用来帮助收集实际的土壤损失数据。也可以通过已经进行的调查,如农业管理调查或作物估值调查来收集数据。GLASOD 的地图和数据是基于当地科学家对退化的估值,不是基于测量值。这表明在数据的收集与编制中可采用 GLASOD 推荐的概念。这些数据,加上 GIS 数据库、农业投入的使用数据及土壤保护实践的信息如作物轮作等,可以用来建立一个很完备的信息系统。

土壤退化账户提供了通过最小化侵蚀/枯竭量来维持土壤处于近自然状态的成本。为了在政策制定中使用侵蚀类型和数量方面的信息,需要获取避免/减少不同类型土壤退化的土地改良措施信息。

4.4 可更新水生资源的经济核算

4.4.1 简介

本节讨论可更新水生资源的环境核算,可更新的水生资源包括海洋、湖泊、池塘和河流中的鱼类、软体动物、甲壳类和其他活着的生物体,还包括水产公司养殖的动物。本节的讨论不包括资源的其他利用(如娱乐活动或其他利用方式),这些利用尽管难以估值,但却非常重要。下面阐述的概念在 1999 年 6 月于纽约召开的联合国统计署(National Statistics Division)/联合国粮农组织(FAO)的联合专题讨论会(United Nations and Food and Agriculture Organization of United Nations,1999)中讨论过,在即将出版的渔业集成环境和经济核算(SEEAF)的指导方针中将进一步阐述(United Nations, Food and Agriculture Organization of the United Nations and United Nations University, 即将出版)。

对可更新水生资源的认识有很大的差异。很多水产公司通常能够提供他们管理的存量大小的可靠估计。因难以监测,对一些野生生物的存量估计通常是不可靠的。这是因为在存量评价模型中,存在环境因子的自然变化、物种间的交互影响和输入的不确定性(如捕捞量、废弃量的大小等),这里只是列出了诸多原因中的几个。

在世界上大部分地区,捕鱼能力已经达到这样的状态:如果不对其进行限制,将导致过度捕捞,使捕捞量和经济利润比以往要低。在极端情况下,对生态系统的影响已使某些鱼类濒临灭绝的危险。渔业管理者通常根据那些使可更新水生资源利用的经济利润最大化的信息行动。在许多情况下,这种信息十分有限而且不确定。可更新水生资源的经济核算,可看做改进渔业管理信息基础的一种途径。

对可更新水生资源的控制变化很大。个人所有的和在市场出售的水产品可以依据市场价格估算资产价值。有些国家,湖泊、池塘和河流中鱼的捕捞权是私有的,可以进行交易,因而也有市场价值。这是鱼群与捕鱼权属于同一地方的情形,还有一种情况是鱼群在较大的区域范围内迁移,可以被其他人捕获(如大麻哈鱼可被钓鱼者钓走,也可在海洋渔场中被捕获)。

自 20 世纪 70 年代和 80 年代引入 200 英里的专属经济带(EEZ)后,大部分商业上重要的水生动物群都处于国家/区域的管辖范围内。一些野生鱼类在不同国家的专属经济带之间洄游,一些在归属于国家专属经济带和国际水域间洄游,并且有一些完全生活在国际水域中。在联合国的框架中,为使各国以一种对环境负责的方式开发这些水生资源,已付出了很大的努力。

联合国海洋法公约(United Nations,1983),1982 年 12 月 10 日签署实施的联合国海洋法公约中涉及保护和管理跨区域鱼群和高度迁移鱼群条款的协议,渔业责任管理编码(FAO,1995)三者一起构建起了渔业管理的法律框架。国家为防止过度捕捞可以制定自己 EEZ 内的捕捞规则。有些案例中已经成立了国际机构来管理在不同国家 EEZ 间洄游鱼群的过度捕捞问题,有些案例中就国际水域中鱼类过度捕捞问题的管理也已经达成协议。

渔业的管理方法差异很大。有些情况下捕鱼很大程度上是免费的,当局只能努力通过船只报废(购买)来减少捕鱼的资本。其他情况下,可通过关闭渔场一段时间、针对捕鱼设备类型建立一些规则或是实施捕鱼许可证来控制捕鱼作业。捕捞配额管理是很普遍的管理方法之一。在多数情况下,分配给渔民的配额很有限或这些配额不可买卖。在少数情况下,配额可自由交易,并且完善地建立了基于市场的配额价格,这为捕获的鱼群提供了很好的市场价值估计。

4.4.2　渔业核算

4.4.2.1　产品边界

1993 SNA 中的生产边界包括社会事业机构负责、控制和管理下的全部活动,在这些活动中,劳动和资本将投入的商品和服务转化为其他商品和服务的产出。对渔业而言,公海中鱼群的自然增长不算作生产,因为这个过程没有充分的管理。另一方面,渔场中鱼类的增长被视为生产过程。公海中商业性或娱乐性捕鱼活动捕到的鱼都作为产品计算,不管是在市场出售还是自己消费。

SEEA 的生产边界与 1993 SNA 的基本相同,就水产业产品来说完全一致。水产公司的产量应记录为在制品,通过每期发生成本的比例分配宰杀鱼的价值(1993 SNA, para.6.96)。

对野生鱼类而言,所有捕捞上岸的野生鱼类都应记为产品。在数据允许的情况下,应包括渔民用于供养家庭捕捞的和娱乐性活动钓上来的那部分,即使它们不在市场上出售。自己消费的捕获量,可按市场上的出售价格来估值。

一旦国家出售(交易或放弃)部分或全部配额,就会引起一些潜在的问题。问题的关键在于是将捕鱼活动作为鱼类资产所有国的生产还是捕渔船队所属国的生产。理论上,如果生产发生在资产所有者的国家边界内,那么应将生产作为该国的产出。1993 SNA 中建议,如果其他国家渔船的捕捞活动没有延伸到一个国家的 EEZ 范围内,那么这种捕捞活动不能记为该国的生产。实际上,渔船和发生在渔船上的活动都在渔船所有国的国界内,因此应作为渔船所有国的生产记录。如果鱼类资产的所有者没有将鱼类资产的收获权承包出去,这样处理不存在任何歧义。即使存在承包,将捕鱼活动作为鱼类资产所有国生产的一部分也不恰当。因为配额的出售如同出售资产,拥有其他国家鱼类资产配额的国家可以记录为拥有一种凭证,其价值可按实际给付价格或配额的剩余价值来估计。

为估算鱼群的大小和生产潜力,适时记录所有的捕获量非常重要。这意味着不仅需要按照商业性或娱乐性的捕鱼人分类记录上岸的、合法和不合法的捕获量,而且还需要记录所有海上丢弃的鱼量[1]。

4.4.2.2 资产边界

1993 SNA 中的资产包括为单位拥有并能为该单位带来经济利益的所有资产。就渔业而言,包括由个人或集体拥有有效所有权的水产公司养殖的鱼(制造资产)和公海中的鱼(非制造经济资产)。正如前面提到的,渔业有效管理的程度差异很大,实际上很难确定"有效的管理"需要哪些有效的措施。SEEA 和 SEEAF 采用实用主义的方法,将一个国家 EEZ 内所有的鱼群都作为经济资产,因而包含在资产的边界内。SEEA 将 1993 SNA 的资产边界扩充到包含了"环境"资产,如海洋和淡水生态系统、生物多样性等。

对于制造和非制造资产的界限确定的实用主义方法是依照 FAO 对水产业的定义,根据这个定义,养殖的鱼群应作为制造资产,如果可以获得实物核算的数据,所有野生的鱼群(自然增长的和大农场养殖的)都作为非制造经济资产处理。

SNA 在生产账户外的积累账户中,记录因谨慎的管理活动或环境因素引起的自然存在的资产的变化,如枯竭(收获)和增长。因此,为了将来更大的收益,放弃当前的捕获量来恢复枯竭的野生鱼群没有作为资本形成记录,也没有包含在 GDP 中。

SEEA 建议分开确定枯竭,定义为超过可持续产量的那部分捕捞量的价值和因其他经济决策(如通过渔业管理恢复存量等)引起的非制造自然资产的变化。前者作为产品的成本从渔业的净增加值中扣除,后者记录在生产账户外独立的"其他积累" 项中。这样处理有利于为政策制定者提供关于渔业管理支出与未来潜在的更高捕捞量收益之间相互关系的信息。

4.4.2.3 国家边界

1993 SNA 推荐账户应为常驻社会事业机构编制。驻地状况决定着国内产品边界并影响 GDP 的测算。驻地是根据业务的经济利益中心所在的位置来确定的。由于渔船具有较大的流动性和多功能性,确定它的驻地和渔船的产量应计入哪个国家的生产账户非常困难。就确定捕鱼业的经济利益中心而言,可以采用的标准是外国渔船在一国的 EEZ 内驻留时间长短及在该国 EEZ 内捕鱼活动的规律性。如果悬挂外籍国旗的渔船在一国

[1] 上岸量定义为捕捞量减丢弃量(扔回海里的鱼),即码头上卸下的捕捞量。

的 EEZ 内停留时间过长(如一个捕鱼季节或是一年)或一年内的大部分时间定期返回捕鱼,这时可以假定渔船的经济利益中心在东道国。其他确定利益中心的标准包括以捕获鱼上岸和加工地点。

从核算的角度来看,上面提到的方法是首选的。但事实上,数据的可获得性不能保证它的实际执行,特别是外籍渔船捕获量的数据不足阻碍了将他们的产出分配到东道国的渔业 GDP 中。在国际水域捕鱼而长期在一个外籍港口或码头卸载捕获量和购买补给的渔船可近似看做该国的一个准公司。如果渔船的所有者向登岸国缴纳税金、提交财务报表和申报捕获量,那么该国就是它的经济利益中心。另一方面,如果渔船的所有者向其企业驻地国家缴纳税金、报告渔船的财务状况和捕获量,这就很难确定渔船实际的经济利益中心。从实际应用的角度,这种情况可以将渔船的经济利益中心确定为企业所在地。

另一种难以确定公司(渔船)的经济利益中心所在地的情况是渔船的所有者居住在一个国家,渔船在另一个国家的 EEZ 中捕捞,而渔船上岸却在渔船所有者自己的国家。有些情况下,捕鱼船整年从事这样的捕捞活动,而有些时候只有一段时间从事捕捞活动。依照 SNA,渔船的经济利益中心在东道国。事实上,因为渔船向其所有者所在国家缴纳税金,并提交他作业的财务决算,其产出也相应计入其所有者所在国家的生产账户中。

4.4.3　可再生水生资源的实物型账户

鱼类养殖场生产鱼的实物账户可计算为在核算期初的鱼的数量(重量)加上其自然增长,减去收获的鱼的数量(重量)和自然死亡的数量。这些信息一般可以通过调查得到。

对于野生鱼群,基本数据包括捕捞上岸量、某一时点的捕捞作业量和鱼群大小的估计量。鱼群大小的估算常常带有很大的误差,使得存量变化的估算很不可信。从估算的存量变化中减去估算的捕捞量得到一个余值,该余值包括补充的鱼数、自然增长和死亡的鱼数。

4.4.3.1　野生鱼群的定义与测量

群是指特定物种的一组个体,通常可以根据产卵地的不同将这些个体与同种的其他个体区分开。有些情况下,在分散场所产卵的不同鱼群,可能会被混在一起,在共同的养殖地进行开发。从管理的角度,这些不同的鱼群可以被看做为一个鱼群。通常的术语“*群*”是指开发或管理单元,而“种群”则是指生物学单元。

存量指测量群的大小,其定义需要与可获得的数据相适应。对许多物种,生物学家通过捕捞量中不同群组的重量来估计它们的大小。能通过捕捞物中不同年龄的鱼群组的重量来估算存量的大小。这意味着总的存量可以定义为所有年龄大于 y 的鱼群组的重量,其中 y 是捕获物中最幼小鱼的年龄。这样做的原因是因为我们对年龄比 y 小的鱼群知之甚少。为了评价补充鱼群中已开发部分的潜力,通常需要将年龄最小的鱼群分开评价,这对管理而言也是非常重要的信息。经常需要估计性成熟鱼群(产卵鱼群),这种估算通常可以指示鱼群增长潜力和崩溃的可能性。

同所有生物一样,野生鱼类也构成了复杂生态系统的一部分,一些鱼类是捕食者,而另一些则是被捕食者。为了能够理解生物系统的动态性,收集各种鱼的捕获量和存量的资料对估算鱼群的生产潜力并避免严重的过度捕捞来说十分重要。

鱼群的实物数据通常由生物学家编制,他们通过不同的方法估算鱼群的大小。虚拟种群分析(VPA)通常是最可靠的方法,这种方法利用同一群中不同群组的捕获量数据和单位作业捕获量数据。这种估计鱼群大小的方法,只适用于那些寿命相对较长的物种,并且可以获得捕获量中鱼群组的比例份额数据。无法获得这些数据时,生物学家就依靠其他模型将鱼群大小与通过单位作业的捕获量估算的鱼的可获得性联系起来。这种方法通常很不精确,因为很难以统一的单位来估算作业量。但存在一个特例,当鱼聚集成鱼群,如远海鱼种,就可以采用回声综合器(一种利用声波观测水中鱼的仪器)的观测数据来估计总鱼群的大小。对于像海豹、鲸鱼这类体形较大的水生动物,可通过直接统计随机抽样区域内动物的数量来估计[1]。许多情况下生物学家对鱼类存量的估算很不精确。此外,存量补充的易变性、影响鱼类个体增长的环境因素的影响,因意外事故、疾病、年老和捕食者造成的自然死亡率,使估算鱼群潜在的生产力非常困难。因此,在鱼类存量下降时,很难确定这种下降是由过度捕捞造成的(记为枯竭),还是不利的环境因素影响的结果(记为其他量的变化)(见第3章)。

生物学家采用VPA方法估算鱼群的存量时,必须估算鱼群的自然死亡率。有些情况下,这些估算包括估计一些捕食者存量的大小。此外,当可以获得单个鱼群更多的信息时,VPA方法可以改进具体时间点的存量估计。因此,一些鱼群期初的存量在期末比期初估计的更精确。基于VPA方法取得的数据,有可能取得核算期初和期末存量大小的一致估计,还可以得到解释存量变化的所有流量,如捕获量、补充量,以及因疾病、意外事故和捕食者引起的重量增加和损失。即使这样,因为缺少可靠的数据特别是自然死亡率的数据,生物学家并不认为以核算的格式呈现这些实物数据会有多大的用处。

4.4.3.2 可持续开发和实物枯竭的定义

资源提取量(捕捞量)等于资源的自然增长率,则核算期末的存量大小将与期初保持一致,那么可更新资源就是以可持续的方式在利用(开发)。如果考虑到核算期内资源增长率的不确定性,可持续开发就应当根据概率和期望值来重新定义。如果未来某时点的期望存量大小与现在的存量大小相等,并且资源灭绝的概率等于零,那么可更新资源就是以可持续的方式开发的。

可持续性是一个已在渔业和其他可更新资源的经济理论中使用了很长时间的概念。实际上资源可持续开发的方式不只一种,而是很多种(无限多种)。存量小的资源其增长能力也小,只有少量的索取才能可持续开发,而存量较大和生产能力较高的资源,即使捕捞量较大,资源存量也不会有下降的风险。在这种情形下,可持续性给可更新资源的管理人员和解释它的统计工作者提供了一个不明确的参考点。管理者的目标是必须管理资源以便可持续地开发并且能够为社会带来最大的利益。这种最优的可持续开发是国家/环

[1] 鱼群评价方法的进一步信息可以参考 Hilborn 和 Walters(1992)、King(1995)、Sparre 和 Venema(1992)。

境账户应利用的参考点[1]。

4.4.4　水生自然资源的货币估值

4.4.4.1　制造资产:水产业

水产公司养殖的鱼类是制造资产。这些资产是私有的并可在市场上交易。许多情况下,可以通过容易获得的市场价格来估算水产公司养殖的活鱼的价值。

给定一些水产公司拥有鱼类的数量和重量的实物量数据及不同鱼类的市场价格,就可以估算这些资产的不变价格估计值。可直接用不同种类鱼的实际数据与基准年观测的价格相乘,或间接通过计算这些资产的价格指数,然后用这个指数乘鱼类存量的估算值来估算鱼类的不变价格价值。

4.4.4.2　非制造经济资产:野生鱼群

因为很少将许可权视为财产所有权,野生鱼群的估值要复杂得多。下面将讨论直接的和间接的估值方法。

4.4.4.2.1　以捕鱼权观测价格为基础的估值

捕鱼权可自由买卖,自然资源的价值可以通过捕鱼权的市场价格进行估算。在许多情况下,国家掌管着渔民的捕鱼权并禁止买卖这些捕鱼权,因此没有可直接观测的市场价值。有些时候,同一定的资产(通常是渔船,有时也可以是土地)绑定的捕鱼权可以自由买卖。这种情况下就可通过比较附着有捕鱼权的资产的价格与相同的但没有附着任何类似权利的资产价格来推断捕鱼权的市场价值。

如果水产业是通过独立可转让配额(ITQs)和/或独立可转让股份配额(ITSQs)经营的,则全部的独立可转让股份配额(ITQs)的市场价值与使用鱼群的价值相等。这个价值也等于租金。以市场价格度量的永久的独立可转让股份配额(ITQs)的价值,也就是鱼群的市场价值。它反映了渔业公司希望从独立可转让股份配额(ITQs)利用中获得的期望利润的贴现值。

对于许多采用(ITQs)和(ITSQs)经营的水产业来说,尽管捕鱼权可作为财产,但与资本或自然资源上捆绑的权利(如土地或矿床捆绑的财产权)并不一样安全和合法。同样应注意的是水产业财产权的引入,是发生在捕鱼能力过剩时。在这种情况下,年度的(ITQs)价格是由短期而不是长期的水产业边际收益决定的,这样将高估鱼群开发的总收益。

水产业经营的效率对捕鱼业的收益率、捕鱼权的价格起着至关重要的作用。如果管理人员不能够防止严重的过度捕捞,进而捕鱼公司的利润就会减小并且捕鱼权的价格也会降低。如果管理人员(或是认为他们能够做得到的渔民)能够管理好水产业并给捕鱼公司带来高利润,那么捕鱼权的价格也会升高。

---

[1] 关于渔业经济学和最优开发的进一步信息可参见 Clark(1990)、Cunningham、Dunn 和 Whitmarsh(1985)、Hannesson(1993)。

4.4.4.2.2　货币估值:未来租金的现值

如果无法得到渔业资源的合适价格,1993 SNA 建议计算开发渔业资产期望净收益的现值来估算资源的价值。许多情况下,由于不确定因素和缺少经济和生态相关因素的数据,就要充分利用上一年的租金(或过去年份的平均值)估算开发鱼群所能取得的未来租金的最佳估计值。这样净收益的现值就等于上一年的租金除以贴现率。

在有些情况下,可通过预测未来鱼群的大小、捕获量、价格和成本[1],比利用以往年份已实现的收益能更好地估计未来的租金。鱼群远低于历史水平时情况就是这样。然而,值得注意的是生物系统通常相当复杂,我们对系统及它潜在的生产力的认识相当有限。

事实上,水产业往往不是开发一个物种,因而很难确定每种鱼的捕获成本。生产过程的联合生产特性使估算每一个种类的捕获成本变得错综复杂。

不同鱼群间的相互作用,增加了鱼类资源价值估算的复杂性。如一些被捕食者捕获的量的大小及价值,决定于捕食者存量的大小。如果捕食者没有什么商业价值,那么可能会付费对其捕捞,这样最终会增加颇有价值的被捕食者的捕捞量。这种情况下,当捕食者的存量很大,害处超过益处时,它的价值可能变为负。不同物种间的相互作用也相当重要,但我们对这种作用经常缺乏了解且较难量化。

以生物经济学理论为基础,可知利用净价格法—净现值法(见第 3 章)的一种简化,无法精确地估计一些水生生物资源存量开发的未来租金的现值。更普遍的是存量的价值与存量的实际大小并不成比例,而且更多是非线性的关系。

在一些国家,渔业管理的目的不只是为了最大化社会经济利益,还有其他利益如就业问题、区域问题、保护一定的生活习惯等也是需要考虑的事项。这些问题,经常是水产业管理决定的组成部分。在这些情况下,未来租金(捕鱼权的市场价值)的净现值低估了自然资源的社会价值。

基于未来租金贴现估算鱼群价值时,补贴、资源特别税、水产业管理费、栖息地保护费及可能增加的成本都应该考虑。实践中可能会出现负租金,在 SEEA 中按惯例是将其记为"零"。

水生资源存量的价值变化可能是由以下几方面引起:①存量的实际大小变化;②技术变化,在同样投入和实物存量的基础上提高了渔业的产量;③价格的变化,水生资源存量开发产业的产品(上岸)和投入品价格的变化。在实践中很难将产品和投入品的价格变化从其他存量价值变化中分离出来。现值法是在不变技术下,采用不变的投入和产出价格来估计租金的现值。这种方法可用于捕鱼权可以自由买卖的情形,估算以市场价格为基础的存量价值。

一些存量价值的变化不仅反映耗用资源的成本,还有其他因管理和环境因素引起的变化。即使是使用市场数据估算捕鱼权的价值,采用野生鱼类价值的减少来估算枯竭成本也是不合理的。

[1] 冰岛 EEZ 中鳕、虾、小海鱼的价值估计可参考 Danielsson 等(1997)。

4.4.4.3　共用存量

当对水生资源的开发不存在控制时(因为位于国际水域或开发国家没有设法对其进行合理的管理),正如第 3 章所讨论的,这样的水生资源应当作为非经济“环境”资产。

对鱼群的开发已进行控制,并且捕鱼权已在几个国家间分配时,这些鱼群(迁徙和跨界鱼群及完全生活在国际水域中的鱼群)应当作为经济制造资产。这时候可以用这些资源管理基础的国际协议来确定各国的共用资源份额。有时国际协议明确地分配了总捕获量中各国的份额,但各国渔船完成分配份额的可能性有差异。这时资源的份额就需要根据实际捕捞量份额而不是根据协议中规定的份额来估计。不管怎样,国际协议的频繁变动会引起分配给各国的捕获量份额发生变化。

对公共开发的存量,在国家的份额数据可靠的情况下,可以根据份额数据来确定总存量中应计入各国资产账户的比例。然后,可根据前面讨论的捕鱼权数据(若存在自由交易)或估计的未来租金的现值来估计份额的价值。

4.5　空气中的排放物

4.5.1　简介

空气中的排放物是指从固定或移动的排放源排放到周围空气中的污染物,这些排放物不是对人类、动物、植物有害,就是破坏臭氧层、形成烟尘或酸雨的生化物质。空气中的排放物可能是自然过程产生的,也可能是人类制造的。SEEA 关注的是人造排放物与排放它们的经济活动之间的联系。

第 3 章中讨论了 SEEA 中的退化账户,并阐述了如何使用维护成本法对空气中的排放物估值。本节主要关注将排放物数据(从环境统计数据库中获得的)与排放它们的经济部门连接起来时遇到的问题。

4.5.2　分类问题

经济部门的生产过程或最终消费产生了引起退化的排放物,在 SEEA 中,排放物是与经济部门(产业、政府和家庭)连接在一起的。第 3 章中的图 3-1 展示了排放物与经济账户是怎样连接起来的。NAMEA 提倡以实物量形式连接排放物与生产账户,这在第 2 章中讨论过。对此 SEEA 更进一步,试图用维护成本法对排放物估值。维护成本指污染者为达到已颁布和实施的环境规章要求而必须承担的成本。

经济账户是对常驻机构编制的。一国经济领土内的常驻机构[1],是指该机构的经济

[1] 一个国家的经济领土与国家的疆域可能不同。国家的经济领土包括:①领空、领海、享有专用权的位于国际水域中的大陆架(如国际水域中由常驻机构开采的石油和天然气矿床);②在其他国家的飞地;③“免税区”(1993 SNA,para. 14.9)。

利益中心位于该国经济领土内,即无限期或长期(通常指一年以上)在这个国家经济领土内从事或准备从事经济活动(1993 SNA,paras.1.28 和 2.22)。这就意味着,常驻机构的一部分产品和消费可能发生在国外,反之亦然,国内的一些生产和消费也可能是来自于国外机构。

在 SEEA 框架中集成排放物和其价值需要遵守上面的要求——污染物流量需是常驻机构造成的。这意味着非常驻机构的排放物,即外来游客或国外的卡车、飞机和火车产生的排放物,应与这些设备所有国的产业增加值相连接,而不是与排放物发生国的国内生产相连接。外国居民产生的排放物可作为收入形成账户中余下世界的转移项,以实物的形式记录在该国的环境账户中,因此外国居民产生的排放物对 NNI(国民净收入)有影响,而对 NDP 没有影响❶。

通常,排放物是通过能源统计、国家环境数据库、国家或国际排放物调查(如政府间气候变化专业委员会(Intergovernmental Panel on Climate Change,1995)等组织的排放物调查)收集的能源数据间接估算的。这些数据测量的是国家的排放物,即源于国家地域范围内的排放物,无视其是常驻机构还是外国机构产生的,这可能与 1993 SNA 和 SEEA 中的定义及分类不一致。因此,从能源数据间接估算排放物需要对环境统计数据进行重新分类。

在国民账户和环境统计中使用的不同定义,与第 1 章中讨论引致成本和承受成本密切相关,只不过 SEEA 强调的是引起的影响,而环境统计更关注承受的影响。这两种类型的数据都与政策制定密切相关,前者阐述规则和控制政策,后者测量国家地域内排放物的影响。

在 SEEA 中,可以使 SNA、SEEA 及环境统计中使用的不同定义和分类相一致。将 WS7 和 WS8 扩展成矩阵形式将可以记录本国地域上的国民经济活动产生的排放物,也可以记录其他国家地域内的国民经济活动产生的排放物。

交通运输和旅游引起的排放物是反映上面问题的典型例子,下面将详细探讨。

4.5.2.1 交通运输引起的排放物(移动源)

环境统计账户清单中有移动源亚类。移动源指公路上的车辆,即已注册使用公路的车辆(如轿车、卡车、公共汽车和摩托车等)、飞机和火车。连接移动源的排放物与经济账户需要将移动源产生的排放物分配到排放部门中,如包括政府、家庭和余下的世界的产业部门(依照 ISIC 的分类)中。

不管是在国内还是国外排放污染物,汽车、飞机或火车产生的排放物应视为生产过程的一部分,而不是最终消费的一部分,应当分配给常驻产业(包括政府)。而由在两个或是更多国家间提供服务的飞机、公共汽车和铁路,应当分配给交通运输经营者居住国的交通运输业,换句话说,就是分配给产生增加值的产业。

家庭的情况有些不同,不管家庭的居住时间长短,家庭引起的排放物都与排放物发生国的最终消费相关。SEEA 中,如 WS9 描述的,它们的价值转移到了生产账户中。下面

❶ 跨界流量估值面临方法和数据问题,这里没有进一步讨论(见第 3 章步骤 8 中的讨论及脚注)。

讨论非常住家庭引起的排放物,如到别国旅游的家庭。

将排放物分配到各部门中有相当大的实际困难。燃料交易的资料,交通工具的种类和驾驶距离可以用来估算各部门的排放物份额。附件Ⅴ通过两个例子列举了连接现有的环境统计与经济账户时遇到的困难。这两个实例都来自 Gravgard(1998)。

4.5.2.2　旅游者引起的排放物

旅游者[1] 通过消费和生产活动产生的排放物。此外,这些活动可能由产生排放物的国家的常驻机构或非常驻机构共同承担[2]。常住旅游者和旅游业的概念对国家间染污物的分配起着至关重要的作用。

4.5.2.2.1　常驻机构

旅游者可能是所访问国家的本国居民,也可能是非本国居民(依 1993 SNA 的观念)。访问中他们使用的服务(即旅馆、租赁的轿车、出租车等)都具有旅游业的特性,通常这些旅游业是所访问国家的常驻机构。旅游者使用旅游业提供的服务而产生的排放物,实际是旅游业引起的,而不是作为消费者的旅游者引起的[3]。因此,排放物应当分配给引起环境退化的旅游业(常驻产业),而且排放物的价值需要从旅游业的增加值中扣除。

常住旅游者的排放物,是指休闲旅游者和商务旅行者在闲暇时间在其居住国内旅行所产生的排放物,这应当分配给家庭的最终消费。

4.5.2.2.2　非常驻机构

商务旅游者会在所居住的国家内引起环境退化,这些旅游者生产性活动产生的排放物应当分配给雇用他们的产业,也就是产生增加值的产业。

对于从事出口机械安装和项目咨询工作的商务旅行者,如果出行时间少于一年,依照世界旅游组织的定义,由于其所得报酬来自于原来的国家,因此可以看做是旅游者。依照 SNA 的解释,他们也是非常驻生产机构雇用的非常住个人。这种情况下,这些商业出行者的生产性活动(如驾车到要安装机械的工厂等)产生的排放物,应当分配给他们工作的非常驻机构,也就是产生增加值的产业。

非常住旅游者或是商务出行者在闲暇时间,是指当他们作为消费者而不是生产者时,他们不只是利用旅游业提供的服务,也同样消费不具有旅游业性质的其他产品。在 SEEA 中,作为产品的消费者产生的排放物应当分配到旅游者居住国的最终消费中。

从实际应用的角度来看,依照上面列举的分类来区分排放物是不可行的。考虑各个国家的特殊情况和常驻机构与非常驻机构产生的排放物的净差额,需要做一些简化假设。一种建议是,除了常驻机构产生的排放物需要分配给家庭消费外,其他所有旅游者产生的排放物都分配给旅游业,即使有时旅游业并不需要为所引起的环境退化负责。这里暗含

---

[1] 如旅游卫星账户(World Tourism Organization, 1998)中定义的那样,旅游者或参观者是指任何从一个地点到另一个不是他常住环境的地方,停留时间少于 12 个月,并且旅行的主要目的并不是为了从其访问地获得报酬的人。这个定义包括休闲旅游者也包括商务旅行者。同时需要注意的是旅游者可能是,也可能不是他们访问国的居民。

[2] 见前面 4.5.2 部分的讨论。在 1993 SNA(para.4.16)中详细阐述了个人和公司的常驻概念,从而可以根据是否为非常驻生产机构雇用来区分个人旅游者与商业旅游者。

[3] 旅游服务可以包括制造资产(如轿车出租、旅馆和出租车服务等)的服务。在 1993 SNA 中,一个购买了这种服务的消费者就有权在合同指定的时间内使用该资产。服务的价值包括该资产的固定资本的消耗(如汽车、旅馆和出租车等),利息成本和所有者经营资产时发生的其他成本。与此一致,使用这些资产产生的排放物的应负成本代表资产所有者应该承受的成本。因此,应当分配给旅游产业。

非常住消费者和非常驻生产机构产生的排放物很少,或常住旅游者与非常住旅游者产生的排放物的净差额接近于零。

作为一种替代的选择,Eurostat(1998a)提出非国家(非常驻)实体(包括旅游产业)产生的排放物不应当作为国民(常驻)经济活动产生的排放物的一部分,而应当包含在旅游者来源国的账户中。这个提议是以下面的假设为基础的,即非常住旅游者产生的排放物在所有旅游者产生的排放物中具有较大的比重。如果常驻和非常驻机构产生的排放物的净差额很大,那就应当估算非常驻机构产生的排放物所占的份额。

第 5 章　政策应用

5.1　概述

本章说明集成环境经济核算体系的政策应用。到目前为止,关于 SEEA 的研究案例很少提供利用核算研究结果改善决策的例子。这同已经察觉的 SEEA 的消极的政策和经济后果一起,阻碍了核算的实施。本章的主要目的是阐述环境账户支持政策决策的可能途径,同时减轻人们对环境账户已经觉察风险的顾虑。

本章由五部分组成,第 5.2 节和第 5.3 节分别说明如何将集成环境经济核算的信息分别应用于经济和环境政策分析中。这两节都精心设计以便不同的集成账户使用者能利用环境核算的数据促进政策决策。第 5.4 节说明如何利用环境核算来改善决策过程,从而改善政策结果。环境核算常被视为一种核算练习,这忽略了利益团体参与核算工作对政策制定方式的影响。第 5.4 节辨明了这些影响。第 5.5 节得出了结论。

由于这一章中经常会用到第 3 章中 SEEA 的工作表,专栏 9 提供了一个列表清单以便参考。

专栏 9　SEEA 中工作表的应用

WS1 1993 SNA,供给、使用和资产账户
WS1A 供给和使用表
WS2,2A 环境保护支出
WS3,3A 价值型资产账户:制造资产包括自然资产
WS4,4A 实物资产账户:非制造经济资产
WS5 价值型资产账户:非制造经济资产
WS5A 非制造经济资产的市场估值
WS5B 价值型资产账户:非制造经济资产
WS5C 经济活动中枯竭成本的分配
WS6 实物资产账户:非制造环境资产
WS7 经济部门的排放账户
WS8 经济部门排放账户的维护成本
WS9 集成环境和环境经济账户
WS10A 传统的和环境调整的综合指标的对比
WS10B 传统的和环境调整指标的比例分配
WS10C 产业对传统的和环境调整的净产出的贡献
来源:第 3 章

5.2 在经济政策中的应用

集成环境经济核算的信息主要用于改善经济和环境政策。过去主要是依赖传统的国民账户数据来为经济政策提供信息支持。事实上,传统国民账户不考虑环境的影响及其社会成本而主要关注市场交易,由此引发了环境核算。环境核算主要是得到了可用于制定经济政策的环境调整的总量指标。

本节讨论的焦点是如何利用 SEEA 的数据改善经济决策和促进经济的增长。本节清楚地显示了核算自然资源的枯竭和退化是经济分析的一个内生组成部分,而且在设计经济政策时应考虑社会因素。由于社会因素不是 SEEA 的组成部分,这里不做探讨。

从集成环境经济核算得到的信息,主要可以从评价经济运行情况、调整经济政策、评估政策效果三个方面改善经济政策。

5.2.1 使用 SEEA 的总量指标评价经济运行情况

经济政策决策通常是通过评价经济运行情况开始的,GDP 已广泛用于表示核算期经济系统创造的总增加值。国内生产净值(NDP)是 GDP 扣减固定资产消耗后得到的一个指标,尽管在实际中很少估算 NDP,但它比 GDP 更好地表征了经济的可持续性。这些全面的总量指标反映了一个国家经济是增长还是衰退的概况。加上其他一些经济指标(失业、财政赤字、贸易逆差、负债和通货膨胀)的补充,这些指标一起可用来调整未来经济的发展方向。举例来说,如果过去 GDP 增长速度缓慢,政策制定者可以考虑降低利率来鼓励投资,但这些促进经济增长的决策都需要考虑通货膨胀的影响。

环境调整的指标改变了评价经济运行情况的信息基础,将自然资产枯竭和退化的成本作为生产成本从 NDP 中扣除,得到环境调整的 NDP(EDP),作为环境调整的总增加值。EDP 代表了核算期由经济所创造的净价值(扣减了制造资产和非制造自然资产的消费)。它提供了关于经济运行情况更精确的信息。在 WS9 和 WS10A 中,EDP 等于 203 214,同 NDP(217 454)相比,二者相差 14 240,这反映资源枯竭和退化的价值占 NDP 的 6.5%。

使用 EDP 有助于将环境经济关系融入传统经济政策的核心中。如果将 EDP 作为反映真实经济增长的指标,并设计宏观经济和部门政策来最大化 EDP,那么必须采用与处理制造资产同样的方式来处理非制造自然资产,目标将是维持所有资产产生收入的能力和提供环境服务的能力。相反,设计最大化传统指标(GDP 和 NDP)的政策可能导致 EDP 的减少。用 EDP 取代 GDP 和 NDP,能促使决策者在选择促进经济增长的政策时,同制造资产一样考虑自然资产的经济作用。

用 EDP 取代 GDP 作为反映经济运行情况的指标,政策制定者会担心 EDP 负面的经济和政策含义[1]。担心是因为 GDP 用于国际比较,在以下三方面具有优势:①评价各国

---

[1] 国内生产总值(GDP)经常被错误地用做福利或社会进步指标。

的相对经济强度;②分配发展援助;③辨明投资的机会。这些担心实质上是因为决策者必须处理好国家和政府的形象、国家的财政流量及国内的投资。

这些担心没有必要。第一,在环境核算发展的现阶段,由于不同研究方法的增多(包括不同的估值技术和自然资产的不同范围),EDP 的国际比较遇到障碍❶。第二,即使可以比较许多国家的 EDP,也只能相对地看待各国 EDP 的结果,其实大多数国家的 EDP 都不同幅度地向下调整了 GDP。这将避免拿一个国家的 EDP 同另一国 GDP 进行不公平的比较。第三,比较一个国家的 EDP 和 GDP 的差异可以显示总资本的消耗数量,比较 EDP 和 NDP 可以得到自然资产的消耗数量。即使这些指标在国与国之间差异很大,但估计这些指标可以展示各国政府在保护自己自然资产方面的责任。这种责任感可以抵消或减少国内和国际形象方面的负面影响。事实上,如果能够辨明这些差异,反过来可以吸引国际援助来帮助减少上述各种差异。

应该注意的是尽管环境调整的指标比传统的账户综合指标在政策应用上有优势,但它们并不能表明可持续发展的健康环境、社会和经济尺度。尽管 EDP 和 NDP 之间的比较可以帮助辨明环境成本,但 EDP 并不包含失业、社会公平和许多不能量化和货币化的环境成本。即使 EDP 的增加比 GDP 的增加相对来说经济上更可持续,EDP 的增长也不能成为经济政策的一个主要目标。为广泛评价可持续发展,EDP 应同非货币表示的环境和社会指标及其他的经济指标相结合,以便将基本的经济政策目标从追求经济增长调整到提高人的生活质量上来。

5.2.2　调整经济政策

环境账户数据可用来将自然资产枯竭和退化的成本分解成对应经济政策的要素。如果主要关心经济或收入的可持续性,可以设计自然资产的使用者为自然资产的枯竭付费这样的经济政策。付费可以用 WS5A 中的使用者成本法和净价格法确定❷。例如,在 WS5B 中煤的总成本采用净价格法为 67(货币单位)或 43(采用使用者成本法)。如果政策者关心的主要是生态的可持续性,也就是说维持自然资产的一个给定标准,则可以采用如 WS8 那样,采用维护成本法来确定这些资产使用者应支付多少。如 WS8B 中估计的排放 1 000t 二氧化硫(SO_2)的成本是 0.907。

大量的市场化手段在设计政策工具时都使用了这些估值概念。促使家庭、企业内部化环境成本,以取得经济和环境的可持续性。这类手段包括使用者付费,排污费、排污权交易及减少或取消对一些环境有害活动的补贴。这种按经济代理人"初始"评价的成本并不一定由同一代理人承担。最终发生的环境成本必须在对生产、消费技术和市场行为做出适当假设的基础上,采用模型来模拟。这样的模型将揭示生产和消费模式的变化,以及这些变化对收入分配和结构变化等政策目标的含义。

---

❶ 联合国颁布的集成环境经济核算系统(SEEA)现在只是一个"临时版本",正在进行的修订工作将进一步标准化概念和方法。这些概念和方法与世界目前广泛采用的 1993 SNA 的程序和定义(chap.XXI,sect.D)是一致的。

❷ 如第 2 章和第 3 章专栏 5 描述的,这样的估值方法是以资产潜在利用产生的总净现值为基础,然后,经常运用的是该方法的简化形式,也就是净价格法和使用者成本补贴法。

因政策目标不同,使用这些市场工具获得的收益方式也不同。如果目标是取得宏观经济的可持续性,需要将收益投资在对那些有助于将国民收入维持在当前水平的资产上。从概念上来看,需要将投资投在人文资本、制度资本,以及那些非传统的、对收入产生有重要贡献的资产上。当生态的可持续性是基本目标时,应将税率设置到能收回维护成本,而且应将利润投资以维持自然资产的存量或保护它们的环境和经济功能。

环境账户的信息有助于环境产业的发展,环境保护支出的数据(WS2A)可以用来辨明投资的机会。环境保护商品和服务的总产量是 23 877,这表明了当前环境产业的规模。WS2A 中同时提供了环境保护商品和服务的进出口信息,表明了环境企业潜在的贸易机会。举例来说,环境保护商品和服务的进口价值是 1 209,而出口只有 101。同时政府家庭和非盈利机构环境支出的信息表明公众对环境保护的支持。从 WS2A 中实际的环境支出可以看出,废弃物受到了公众最广泛的注意(1 036),然而防辐射(126)和消减噪声(139)却很少受到注意❶。这对公司确定他们环境投资目标很有帮助。

关于环境调整的部门增加值信息清晰地表明了产业在经济中的重要性。例如,WS10C 展示了林业部门在 EDP 中的贡献是 1.16%,而在 NDP 中贡献了 1.75%,采矿业的比例从传统账户中的 3%下降到 0.4%。拥有了这类信息,政策制定者就可以设计政策来提高某些部门的经济贡献,为了加强和维持林业在经济中的地位,这些数据同时也强调了需要利用部门政策来减少林业资源的枯竭。

由国际财政和发展机构支持的结构和部门调整是许多发展中国家宏观经济管理的一个主要手段。这些项目可以利用环境账户所提供的信息将自然资产保护与财政改革、货币改革、汇率变革及贸易政策结合起来。举例来说,经常可以看到由于与廉价进口竞争,被迫人为压低国内的生产价格,而对国内生产价格的补贴又是以不可持续的自然资产出口为代价的。如果减少隐藏在出口部门中的补贴,则国内通货膨胀的压力将明显提高。同样,汇率的高估可能源于出口人工廉价的自然资源产品。如果外部对某种资源的需求很高,则国内将面临着汇率上扬的压力。由于出口廉价的自然资源而导致的高估汇率就是所谓的“荷兰病”,这时资源提取活动需要与非资源基础的出口竞争,因而会处于不利的地位(El Serafy,1997)。

为取得可持续发展广泛的社会目标,应根据一系列社会、环境考虑和自然资产的经济功能等来设计经济政策。当产业分类(图 3-1 中的 ISIC)与实物型和价值型的制造、非制造资产连接起来时,政策制定者就可以得到并考虑非制造环境资产(WS6)、产业排放账户(WS7)的实物账户信息及资产分布的信息。这些信息清晰地解释了可持续发展的核心问题和代际公平性问题,为怎样将自然资产转赠给下一代提供了坚实基础。环境成本的测量(WS5A、WS5B、WS8)就是为了确保后代必须有可以自由处置的“资本”,并从中获取超过当前核算期可以获得的福利❷。

---

❶ 更精确的评价,需要补充相关的总资本形成支出的数据,本例中废弃物处置总计(政府和产业)为 752,污水处理为 1 340。

❷ 另一个概念“环境负债”也可以评估环境成本价值,它是过去在扩展的金融账户上累积形成的(Bartelmus,1998,专栏 5)。不过,SEEA 还没有建立这样的账户。

5.2.3　评价政策的影响

调整经济政策的有效性可以通过EDP的增长率进行评价。EDP的增长,反映了扣除破坏未来增长的自然资产基础的成本后,经济体所创造的增加值的增长。

通过EDP和NDP的时序比较可以看到在保护自然资产价值方面调整经济政策的效果。两个总量指标之间不断缩小的差距表明当前的政策具有保护自然资产、创造净增加值或两者兼而有之的效果。自然资产枯竭的价值和NDP的一个比例系数如:(NDP－EDP Ⅰ)/NDP(3.9%,WS10A)表示未调整的单位NDP的自然资产枯竭量,另一比较自然资产枯竭/退化量和NDP的指标可用(NDP－EDP Ⅱ)/NDP(6.5%,WS10A)表示,单位NDP的环境总成本。在WS10C中,这些比率都在部门的水平上计算,用环境调整的净增加值(EVA)除传统的净增加值(NVA)得到。显然时间序列的这类指标可以反映经济活动对环境影响的时序变化情况。

其他一些指标也是与政策相关,比较最终消费与NDP的比例,最终消费与EDPⅡ的比例,(C/NDP＝71.7%,C/EDPⅡ＝76.7%),可以辨明我们对自然资产的依赖情况。这些指标时间序列的变化分析可以表明考虑消费模式变化的经济政策的效果[1]。

对环境调整的净资本形成(ECF)(在很大程度上同世界银行的"真实储蓄"类似,World Bank,1995)和EDP进行时序比较(WS10B中为24.48%),能够评价对自然资产投资的程度。将这些信息同传统比率(WS10B中为29.66%)进行比较,能够评价负的自然资产积累对经济运行的重要性。

比较EDP Ⅰ和总的资本存量,能评价提高资本(包括非制造经济(自然)资产在内)效率政策的作用。EDPⅠ/CAPⅠ(WS10A中为5%)测量了单位资本的环境调整的净增加值(包括自然经济资本)。同传统的NDP占制造资本之比(30.5%)比较表明,由于在分析中包含了自然资产,资本的生产能力发生了很大变化。包括自然资产将减少资本的生产能力,而传统的指标在这里估计偏高。可以预计各部门的资本的生产能力差别很大,表明各部门有不同的投资政策。

同时,通过外部账户的信息可以评价汇率和贸易政策的影响。进一步分析(模型)可根据进出口结构评价潜在的环境成本内生化的影响。维持自然资产的生产力可能改变贸易平衡,这将引起真实贸易地位和国际信誉度的变化。

其他的经济参数也可以进行环境调整或同EDP进行比较得到一个比例系数,来从更广泛的角度评价经济政策的影响。如果不记录公共部门的环境成本,将低估环境成本,从而低估财政赤字。从环境调整的财政平衡与传统指标的时序比较可以评价政府在内生公共部门环境成本方面所做的努力。如果将传统的公共部门赤字指标同EDP(代替GDP)进行比较,由于测量的是环境调整的净增加值,问题可能变得更严重。因为净增加值是税收利润的基础。债务水平和偿债能力也可以采用类似的方式与EDP相比较,以此来测量支撑特定的债务水平和偿债能力的真实经济强度。

---

[1] 因国民收入的概念和定义包含了消费,因此可以通过国外收入转移来为消费提供资金。另外,测量消费模式的变化,需要对不同的消费种类进行更详细的分析。

要追踪环境调整的指标对经济系统的影响需要进行一些假设,如价格弹性、生产和消费方面的一些技术条件假设。简单地将环境调整的指标与传统指标的比较并不能考察将环境参数引入经济系统的最终影响。这时需要建立如投入产出和一般均衡分析模型来进行分析。同直接的统计指标解释相比,这些模型有时需要一些不现实的行为和技术假设,但能以明晰的、严密的分析方式提供解释、预测和替代政策情景❶。

5.3 在环境政策中的应用

正如经济政策设计时必须考虑环境的影响一样,环境政策的设计也必须考虑它们的经济影响。尽管直接的目标存在差异,但环境政策和经济政策的最终目的都是为了在生命支持系统的承载力范围内实现可持续发展,或者改进人们的生活质量。

本节描述了怎样利用 SEEA 框架中的环境信息来制定集成的环境政策。尽管最终环境政策的形成需要从更广泛的角度考虑问题,但环境账户中的数据能用于基本的环境政策决策中。同时应该注意到,由于经常难以量化和货币化一些现象(如污染)及其对自然系统和人类的影响,环境账户提供的信息可能并不充分。尽管有些环境数据以实物和价值的形式与国民账户连接在一起,但环境政策的建立可能需要更广泛的环境统计和指标信息。而且,除了经济含义,也应考虑环境政策的社会影响。尽管这些影响没有在环境账户中考虑,也没有在这里讨论❷。

环境账户在如下几方面为环境政策的制定提供了信息:①辨明环境的优先领域;②追踪环境的压力源;③设计环境政策;④评估政策影响;⑤促进国际环境管理。

5.3.1 辨明环境问题的优先领域

非制造经济和环境资产及关于污染方面的实物数据,能促进辨明环境问题的优先性。非制造经济资产(WS4)是那些有所有权归属并能为所有者带来经济利益的资产,也就是土地、土壤、森林、鱼和水资源。非制造环境资产(WS6)在商业上是不能开发的,所有权也并不是强制性的,使用并不能带来经济利益。环境资产包括陆地和水生生态系统,稀有或濒危物种及空气。WS7 中列表描述了产业、政府、家庭和余下世界的污染和废物排放。

拥有这样的信息可以评价主要环境问题的程度和演化(通过时间序列),把这些环境问题同引起它们的经济活动连接起来。目的是设立环境标准和目标,并根据问题的相对重要性确定解决问题的优先性。为了在更广泛的环境资产和资产变化范围内设置环境问题的优先性,仅加总和比较实物存量和存量变化作用有限,这时还需要建立价值型账户。

❶ 投入产出模型有两个优点:①通过供给使用账户的生产使用矩阵与国民账户框架保持一致;②便于价值量指标与实物量指标间的连接。

❷ 社会群体中的收入分配和环境成本分摊问题,可通过把环境账户扩展到社会核算矩阵,合并环境影响来解决。例如荷兰包含环境账户的社会核算矩阵(SAMEA)(Keuning 和 de Haan,1998)。

5.3.2 追踪环境的压力源

在供给使用和资产账户中(WS1)使用国际标准产业分类(ISIC)来辨明那些应该对自然资产的枯竭/退化和保护活动负责的产业部门。当ISIC同实物的非制造经济资产账户(WS4)、环境资产账户(WS6)及经济部门的排放账户(WS7)连接在一起时,可通过SEEA的投入产出框架追踪环境问题的源头。而环境成本的价值型账户允许我们定量测量产业对核算期产生的全部环境成本的贡献大小,环境问题的经济和非经济原因在WS4和WS5中分开,可以促进形成具有预防性原则特色的政策目标。

通过考察自然资产的转化,即自然资产从环境服务功能向经济服务功能的转化,也可以追踪环境问题的压力源。可以将时间序列的非制造环境资产和经济资产的实物账户连接起来追踪资产环境功能的减少和经济功能的增加,如湿地排水引起农业用地增加。WS6中的环境资产也可与WS3连接起来,WS3中包括制造自然资产(牲畜、果园、种植和木材用地)的价值信息。自然资产环境功能的损失(如野生林地)也可以与新产生的制造资产(如林业部门的种植园)联系起来❶。

5.3.3 设计环境政策

环境账户的信息可以用来确定环境政策的成本。产业排放的维护成本(WS8)表明,为维护自然资产的经济和环境功能,当前可利用的最有效率技术的成本是多少(见第2章专栏2)。这些信息不仅可以促进利用环境保护新技术,同时也表明了满足环境目标的财政需要。将这些数据与产业、家庭、政府的环境支出联系起来,就能比较可获得的最好的技术的投入成本与现实的环境支出,估计部门应用环境政策增加的财政需要。

如上所述,从环境账户获得的信息能促进在环境保护中运用调控和市场基础的工具。环境影响评价(EIA)是一种受益于环境核算数据的调控工具,它被广泛用于开发项目的评估中。EIA主要用来辨明环境的影响。部门的排放估计(WS7)经常依赖那些将生产过程中的投入产出与排放连接起来的系数,而且这些系数可以确定开发项目产生的污染,在实物资产账户中应用生态可持续性标准来测量枯竭。在WS4A中,辨明了可持续利用林业、渔业和水的状态,以及当前的实际枯竭状态。标准和当前利用的状态可作为评价一个开发项目环境影响的基准。为了环境核算,环境影响评价(EIA)的剂量反应信息也可以反过来用于系数估计和可持续标准的设定。为评价开发项目的环境影响,第3章步骤5介绍的净价格、使用者成本和维护成本法都可以使用。

环境账户的信息有助于分析所有权模式,同时有助于改善土地占用系统。土地占用系统是公共地资源环境合理管理的核心。将制造和非制造自然资产账户(WS3,WS4,WS5和WS6)的数据与ISIC的编码联系起来,可以评价国家资产的分布和各部门对资产的利用。这是建立公共财产所有权的第一步。产权的确立将形成一种激励,从而根据所

---

❶ 假设环境资产的转移是在国民账户的生产边界中产生的“制造”资产(一个种植园)取置“非制造”资产(野生林地)所致(1993 SNA,para.10.6)。

有者利益更好的保护环境和经济利用。

同时,环境账户的数据提供了模拟环境政策广泛影响的基本数据和框架。如扩大一个森林公园的决策可能产生一系列的影响,其中的许多可以用环境账户的数据识别。依靠国家实际的管理政策,这些决策可能包括以下内容:

(1)增加荒野中受保护林地的面积(WS6);

(2)降低稀有和濒危物种的灭绝速度(WS6);

(3)减少土壤侵蚀(WS4 和 WS6);

(4)提高水的质量和增加供水(WS4 和 WS6);

(5)改善空气质量(WS11,在 SEEA 软件中);

(6)在土地经济功能方面,减少土地的面积和资产价值(WS4 和 WS5);

(7)减少经济利用立木的数量(WS3 和 WS4),这意味着增加雇用伐木工的数量;

(8)减少牲畜饲养、果园、种植园和木材用地等的资产价值(WS3)。

5.3.4 评价政策的影响

环境政策对整个系统的影响,尤其是它们的有效性和效率可通过将环境保护支出(EPE)的数据(WS2)和环境指标联系起来进行评价。当环境保护支出和环境状态指标呈反向变化时,需要分析达到环境目标的主要障碍。基于政策的影响评价和环境系统状态变化的信息,能够发现新的环境优先问题。

环境指标和环境保护支出的时序比较能提供环境政策效益方面的信息。为改变生产和消费模式,这样的信息鼓励人们采用最小成本的技术和经济工具。

环境保护支出能用于评价环境政策对经济的国际竞争的影响。这些环境保护支出反映了企业和社会补偿对环境有破坏作用的生产和消费须承担的经济成本。这是在分析环境管制是否损伤了国际竞争力非常基本的依据。单位产出维护成本的比较(国际和国内部门)能提供反映“环境比较优势”的指标,即哪一个国家或部门能以最小的环境成本进行生产。

5.3.5 国际环境的管理

环境账户的信息有利于国际上控制污染和废弃物的跨界流动。WS7 中有一个国家与余下的世界之间的残余物流量信息(流入的 SO_2 为 43 000t,流出到国外的为 85 900t)。但并没有对这些流量进行价值估计。如果进行估值,图 3-1 中将得到一个负转移量,残余物流出将增加环境调整的国民收入(ENI),反过来流进将减少环境调整的国民收入[1]。开发处理这些问题的国际战略和对接受污染国进行财政补偿时,跨界污染物的实物和价值信息都是非常基本的依据。

---

[1] 在传统账户中,与余下世界发生的实际商业废弃物贸易被记为出口与进口,顺差增加 GDP,逆差则减少 GDP。

5.4　制定政策方面的含义

从狭义角度来看,环境核算仅是一个数据的收集和发布的统计过程,包括鉴定数据来源和误差、收集和处理数据、准备实物型和价值型账户、计算环境调整的总量指标、电子发布数据库或统计报告。作为一个核算过程,得到了某核算期内的集成账户和总量指标,就可以认为完成了任务。

从广义角度来看,环境核算是一个贯穿核算阶段内外的政策制定过程。尽管核算本身由专门的组织机构执行,但环境账户方面的讨论,尤其是开始应用的初始阶段,需要不同政府机构、非政府部门及外部(国际)组织的集体努力。这些不同的利益团体共同承担一些任务,主要包括以下几方面:①辨明需要优先考虑的环境问题;②确定环境账户的范围和内容;③提供数据并提出通过环境账户需要回答的政策问题;④解释和传播环境核算的结果;⑤讨论并促进采取政策措施;⑥评价这些措施的效果。

在典型的环境核算实践中,大多有一个得到利益团体集团和技术队伍支持的牵头机构,该牵头机构可以是政府机构也可以是非政府机构。牵头机构的职责是项目计划、组织、协调并提交报告。技术队伍由牵头机构本身或来自利益团体机构的员工组成。与核算程序的技术员不同的是,利益团体主要关注核算结果在政策中的应用。由于在建立过程中有广泛利益团体的参与,因此环境核算能在以下几方面改善政策的制定:

(1)*鼓励参与*:环境核算项目经常由政府机构、非政府组织、私营部门和外部组织共同参与设计和实施。不同的利益团体形成一个有组织的利益团体集团,更容易与国会、议会、州参议会以及财政、经济计划部分的政策制定者沟通交流。传统上,这些政策机构比较关注传统的经济目标,利益团体集团通过组织和呈现他们关于环境、社会和经济问题的观点可以拓宽政策制定者的关注点。

(2)*促进辨明优先的环境问题*:利益团体集团的参与,更容易确定需要解释和处理的大部分紧迫的环境－经济问题。许多国家面临大量的这类问题,但解决它的财力有限。通过咨询兼顾各方的利益团体集团,利用现有环境经济指标,国家能就政策上优先的问题达成一致。一旦确定优先问题,环境核算项目会受到更多的关注,政策制定者也处于一个更有利的位置,在财力有限的情况下设计和实施有目标的政策措施。

(3)*促进集成*:利益团体包括环境和经济机构,也包括受影响团体如贸易联盟。这些利益团体间的对话,可以在各种环境问题之间、环境与经济问题之间建立起联系。确定这些联系可以促进以综合和集成的方式探求解决问题的方案。例如,盐碱化作用问题经常与上游的森林砍伐有关。当水资源部门、林业部门和伐木协会在一个利益团体集团中工作时,就可以通过讨论确定存在的因果关系。可以找到盐碱化治理的协同处理方案并反映在环境账户的部门活动中。利益团体间的互动可以使推荐的政策建议最大化环境保护和社会经济发展之间的互补性,同时使相互之间的冲突最小。

(4)*提高环境意识*:有三种方式来提高环境意识。第一,环境核算需要收集基本环境数据,各利益团体都对数据的收集做出了贡献,因此数据收集过程可以提高利益团体机构自身的环境意识。第二,只要可以得到环境数据,就可以编制环境指标并在更大的范围

(超出环境核算包括的范围和过程)中发布。第三,环境账户完成后,利益团体可以通过各自的网络发布结果,影响目标人群。

(5)*增强能力*:通过整个环境核算过程,利益团体可以增强他们发现关键政策问题、分析统计数据、提出综合政策建议、促进环境账户在政策制定中的应用以及提倡政治和制度创新等方面的能力。随着能力的提高,利益团体将在与政策者的直接对话中处于更强有力的位置。

5.5 结论

本章将环境核算看成一个核算过程,也看成一个政策制定过程。环境核算过程产生的许多信息可用来促进形成环境和经济政策。这些信息可用于评价经济现象,改善经济政策,评价调整经济政策的效果。同时有助于辨明环境问题的优先领域,追踪环境问题压力源,设计环境政策,确定关于污染物跨界流动的协议,评估环境政策的影响。

作为一个政策制定过程,环境核算能够改进政策制定的方式。它将利益团体引入到了政策制定过程中,促进确定环境问题的优先性,支持采取集成的方法来探讨已辨明的问题,提高环境意识,加强社会团体的政策参与能力。考虑到这些要取得的目标,在实施环境账户的结果时利益团体集团是必不可少的。

通过环境核算的广泛应用,将逐渐显示环境核算在促进政策参与的能力建设方面的潜力。实施环境账户的国家将改善他们在自然资产保护方面的形象,并从中获利。在稀缺性不断增加的世界里,从可持续资源管理的角度可以为一些公司找到新的投资点。本手册通过展示环境核算在政策制定方面的可行性和有用性,尝试鼓励更多的国家进行环境核算。

第6章　制度和资金保障

6.1　国家环境核算的基本要素

里约热内卢召开的联合国环境发展大会(地球峰会)和联合国统计署,都推荐政府将集成环境经济核算体系(SEEA)作为修订的1993 SNA的卫星账户体系来实施。最新版本的SNA详细说明了与主要的核算框架相一致的SEEA的关键特征(1993 SNA, chap.XXI, sect.D)。SEEA手册(United Nations, 1993a)进一步详细阐述的扩充了这些特征。当前世界各国都普遍开展实施1993 SNA,这在促进建立起主要的SNA框架的同时也为开展环境核算提供了机会。

即使缺少耦合实施SNA与SEEA的经验,在确定项目的范围、内容和制度化前,将规划的环境核算项目与实施SNA的6个阶段联系起来也非常有用[1]。例如,没有实现阶段1(GDP的基本指标)和阶段2(国民总收入及其他主要指标)的国家,一般要限制自己不要将SEEA作为官方的国民核算计划的一部分来实施。另一方面,研究机构在国民核算人员取得SNA实施的进展前,选择SEEA的某些方面或模块开展一些试验研究会非常有用。一些国家的实践证实,从那些试验探索项目中取得的经验可以成功地应用到官方统计体系中。

在实施国家集成环境经济核算计划之初,需要对国家的国民核算情况、环境与经济政策的目标及重点、数据的可获得性(尤其是对环境条件)等有充分的了解。如对统计能力、环境条件及实施工作计划政策重点进行评估,可以帮助制定工作计划,促进不同数据收集机构间的有效协调。一个执行战略的基本组成部分包括试验编制、基准编制、年度编制及特定研究。可以想象,一个国家环境核算项目应该是长期的,因为收集统计数据需要花费较长的时间,一些环境影响分析也需要长的时间序列数据。

6.1.1　试验编制

国家环境核算项目可从试验项目开始。目标是调查国家实行环境核算的需要和能力。环境核算的试验编制通常从开发核算框架开始。SEEA灵活的模块结构(第2章第2.2节),允许对模块进行选择和修正,以适应特定国家的条件和所关注的重点。在确定这一框架的范围和分类时,应该考虑数据的可获得性和分析目标。数据的可获得性不应该是最重要的限制性因素,因为核算框架是针对长期分析设计的,允许改进数据库。最初

[1] 国民账户工作组秘书处提出的6个阶段或“里程标”,给各国提供了一个明确表示各自执行SNA计划的框架,也提供了一个评价国民账户开发水平的工具。联合国统计委员会1997年2月的第29次会议核准了这种里程标式的方法。

的试验编制应以现存的统计为基础。在项目开始时会存在较大的数据缺口,因此需要在以后的编制中用更可靠的数据取代初始估计数。

尽管数据方面有欠缺,试验编制仍起着十分重要的作用。它可以使国家职员熟悉集成核算的概念和方法,支持建立数据收集协调机制,指导未来的数据开发。试验的最后阶段,应对数据的可靠性、编制方法和协调机制进行评估,并确定未来工作的方向。专栏10是美国集成环境经济核算(IEEA)试验研究中的"学到的经验"总结。

过去的经验表明,试验编制应作为多学科的研究项目,负责编制国民账户的统计办公室或机构、特定的研究机构将在该研究项目中起重要的作用。发展中国家经常需要两年时间进行集成核算的试验研究。依据其范围、内容及数据的可获得性,通常预算为10万~20万美元。

专栏10　美国集成环境经济核算的经验

下面是美国关于矿产资源集成环境经济卫星核算的经验总结:

(1)与现有经济账户相一致,是利用环境账户的先决条件;

(2)新的环境核算项目应建立在过去国家和国际的经验基础上,避免"无用功";

(3)针对国家关注重点,建立对应的环境核算体系;

(4)针对应用的不同方法和相关的不确定性,需给出估计范围;

(5)公布数据源和评估方法,使数据、方法和假设透明;

(6)关注环境经济的相互作用,允许使用与传统经济账户中应用的市场估值方法一致的市场方法。

来源:Landefeld and Howell(1998)

6.1.2　年度编制

至今,实际经验仅限于环境核算的第一阶段,即试验性的编制项目。如果进行全面基准编制的费用至少与试验项目的成本持平,就需要以一种简化格式来开展年度编制。这样可将加总的环境成本引入总结性的经济账户,并对关键经济总量指标进行调整。

本手册附带的编制软件,其设计在保持系统的一致性的同时,支持对总量指标的明细项目和分类进行简化,这是通过反映核算准则和恒等式的内置公式来实现的。

6.1.3　基准编制和数据收集

基准编制与试验编制在范围和内容上相似,但它不是在开始阶段实施,而是在长期计划过程中,可能每5年或10年编制一次。其目的是为时间序列或详细的结构分析建立和更新经济环境数据库。因此,基准编制需要利用随时间积累的广泛数据集,融合特定的、更详细的环境核算研究成果(见下文)。

数据开发与收集是基准编制的关键成分。由于经济数据(如生产、交易和投资等数据)通常比较完整,数据开发的重点是环境统计数据。通常环境统计数据是针对环境政策与管理开发的,并不是为集成环境经济核算开发的。因此,显然需要将实物数据收集和环境核算联系起来,确定同时满足(实物型和价值型)环境核算和编制环境统计表和指标的数据集[1]。

SEEA 实施的案例研究遇到的主要问题是数据缺口,所以不得不利用特定的或局部的研究,例如将一个特定的局地生态系统或自然资源的一方面作为全国范围内的估算基础。最近,关于国家环境核算经验的国际大会,发现数据缺口主要存在于环境保护商品及服务、污染物、生态系统健康、跨界的废物及污染物流方面(Uno 和 Bartelmus,1998)。另一方面,核算框架允许融合与相关的经济变量(如物质或产出的中间消费)一致的部分数据集及他们的扩展。按这种方式,可以使用不是专门为环境核算开发的数据和特定研究的成果。如将核算期生产和消费过程的技术知识和使用的投入或生产的产出方面的统计数据结合起来,可从中推导出排放数据。

6.1.4　特定的核算研究

环境核算框架一建立,就可在特定的经济部门或资产账户中使用。一类账户可提供对特定自然资源(如矿产,森林和水等)进行深入分析的信息。其他的账户关注引起环境枯竭与退化的产业、处理所有产业中存在的枯竭或退化的特定方面,或特定产业造成的不同类型的影响。第 4 章中介绍了部门核算的概念和方法。

使用 SEEA 框架保证了部门核算间的可比性,避免了与国民核算概念和过程不相容的风险。后者是一些无视国家核算与国际统计标准的特定核算研究的主要缺陷。有观点指出,假定缺少环境核算的经验并面临严重的资金短缺,在全面实施 SEEA 之前,从事选定的特定的研究是十分有用的。正如第 1 章中讨论的,这些选定的方法可为特定的环境资产或问题的管理提供信息,对整个环境经济的政策分析可能没有什么作用。

环境核算也可在更受限制的地理区划上实施。这样的区域可以是有特殊利益或价值的生态区,也可以是发展的可持续性存在相当高风险的行政区(省、州)。地区/区域的尺度上收集环境数据有一定的优势,但可能无法取得消费、产品、资本形成和跨界流量的详细信息。对选择区域的研究,可以为区域规划及发展战略提供有用的信息。另外,对整个国家进行全面的区域核算可以了解环境影响和经济活动不可持续性的地区差异,这些比较信息可以提供给中央政府编制区域规划使用。这种区域(省)核算的可行性正由联合国统计署在菲律宾进行研究开发。

6.2　试验项目的实施

通常新的方法开始实施很困难,特别是在政府的统计系统中。可在如下站点找到一些国家的经验:

[1] SNA/SEEA 间连接的讨论,参见实物自然资源账户和环境统计的开发框架(FDES),Bartelmus(1997)。

www.panda.org/resources/publications/sustainability/mpo/accounting/studiesindex.htm。Uno 和 Bartelmus(1998)对选择的案例研究进行了综述。

6.2.1 立项:国家研讨会和项目制定

环境—经济相互作用的多学科特性已在第 1 章中讨论过。数据收集来源、数据的使用和使用者同样存在这种特征。事实上,数据的提供者和使用者通常是相同的,如铁道部和研究机构生产和使用自己的数据集。将数据的生产者与使用者聚集在一个有各行各业人员参与的国家研讨会上,其目的有:

(1)确定环境和经济问题及他们的优先性。

(2)介绍 SEEA、描述概念方法、数据需求、资源需求、核算结果的分析及政策利用。

(3)就协作工作计划达成协议,包括监督、协调和实施机制。

环境经济问题决定了项目的范围和内容。这些问题需要在第 3 章的分类工作表中反映出来。环境保护支出和非金融资产的分类见附录Ⅱ和附录Ⅲ。分类的扩展或修正必须考虑特定国家环境、经济、社会条件及政策重点。

组织、协调、收集、处理大量的数据需要有关键机构的高层代表参加,这样可以保证这些机构的合作(特别是数据的发布),促进更好地理解环境核算的结果。开始时应需要召开国家研讨会启动项目和分配实施中的责任。

领导机构要么对环境问题负责,要么对数据的收集和核算负责。假定试验项目的试验特性,研究机构通常首先参加,而比较保守的政府机构一般都持观望态度。然后,如果要使环境核算成为一项能长期持续的工作,就必须移交给官方的统计系统,而且需优先移交给负责传统国民核算的机构,不是那些主要对实物环境统计和指标负责的机构。原因是国民经济统计人员比起不熟悉经济核算的环境统计学家,通常更容易熟悉扩展到环境的核算系统。

所有参与机构都应尽力提供各自领域内的知识和数据。这可以典型地通过监督委员会、解决问题特派组、核算框架的特定部门或模块实施工作组来实现。需要定期召开利益团体会议(见第 5 章)来确保使用概念和方法的一致性、监督实施的进程、在项目所有阶段培训潜在的数据使用者,为将来项目的进一步实施指明方向。

如果需要捐赠机构或独立(技术)机构的外部支持,还需要起草一些关于合资目标,活动及成果的协议。协议可以采用捐赠机构与合伙人的理解备忘录这样的形式。在附录Ⅵ中提供了这种协议的一个例子。需要注意备忘录中列出的活动。对这些活动的辨识、确认与修改应该是启动项目的国家研讨会的一个主要结果。许多或相似的活动已经在第 3 章中有详细的叙述。

6.2.2 人力资源需求:培训、工作组和工作分配

不仅是在领导机构内,还包括合作数据提供机构,都需要通过培训研讨会、工作组和在职培训来使员工熟悉环境核算的概念与方法。即使员工熟悉特定的环境统计,通常也

不知道怎样将这些数据处理到核算框架的各个单元之中。对来自于非统计机构，以前从未接触过核算概念和方法（即使是传统的或环境的核算概念和方法）的员工尤其如此。另外，国民核算人员与经济统计人员通常并不熟悉监测机构提供的（非管理记录或调查问卷提供的）“科学”环境数据。

联合国的区域委员会、区域发展银行、国际培训机构在增强国家集成环境经济核算的能力建设中发挥着重要作用。所有的区域委员会都组织了环境统计与核算的培训工作组。为发展中国家服务的慕尼黑应用统计高级培训中心做了大量的开创性工作，为其他区域统计培训机构开设类似课程提供了一种模式。该中心现在以英语和法语开设了“环境政策统计”第一阶段的课程。另外，区域的“城市群”可能是共享应用统计不同领域（包括环境核算）经验的最好的办法。

在国家研讨会结束后立即招集的工作组可以让使用者对 SEEA 结构和内容有一些初步了解。随后需要举办针对特定自然资源和环境影响的工作组来详细讨论一些技术细节。这些工作组把专家聚集在一起评估特定的区域。例如，鱼群及其可持续性的模型需要与（国民）核算中的实物枯竭概念联系起来并进行货币估值。按这种方式，为使参加者相互获益，需对社会经济的主要关注点、环境影响及反馈开展广泛的讨论。正如第 5 章所指出的，除了环境核算项目的直接成果，这种合作及信息交换是环境核算最有用的方面。

在“傻瓜”表格或工作表中确定和分类的数据需要加工处理和传送到执行机构，以便进一步处理和导入统一的账户数据库。这时的关键是使不同来源的数据一致。例如，通过国民账户问卷从森林产业调查得到的森林数据与林业部收集的森林数据可能有明显的差异。第 3 章中描述的工作表，是编制 SEEA 的基础工具。很难总结有多少数据需要由执行机构或提供有关数据的机构来处理。当然，这要取决于不同机构掌握的环境核算知识、数据处理能力及他们的人力与资金资源。

典型的环境核算项目需要有一个由长期成员组成的核心工作组，并需要各工作组组成一个交互代理工作组来支持。例如，在菲律宾试点项目中，8 个全职的顾问、国家统计协调部（National Statistical Coordination Board，NSCB）的 30 个兼职员工、来自合作机构的 10 个代表组成的技术工作组一起工作。NSCB 的员工负责全面的指导，顾问和技术工作组实际编制表格与账户[1]。

6.2.3　估值、分析和制度化

完成账户编制工作后需要准备报告。起草的报告需要包括账户介绍，数据缺口描述，遇到的、解决的和遗留的问题说明。再次召开国家研讨会可以以该报告为基础，讨论报告的结果、对结果进行进一步分析和解释、并为后续项目提供建议。建议中应包括分配给特定代表方定期环境核算的长期责任。正如上面提到的，编制国民账户的机构（如国家统计局或中央银行）可能是最佳的实施正式的集成环境经济核算的机构。然而，需要建立广泛的合作程序以便数据提供者与使用者都能参与进来。专栏 11 中说明的是菲律宾建立的

[1] 菲律宾国家统计协调部的 E.Domingo（SEEA 试验项目负责人）提供资料。

一个广泛合作程序。

专栏 11　制度化菲律宾经济环境和自然资源核算系统

采用SEEA框架在国内试验经济环境和自然资源核算两年后,1997年3月,菲律宾总统签署了在菲律宾制度化经济环境和自然资源核算(PEENRA)体系的第406号总统令。总统令授权由三家单位组成PEENRA机构:①国家统计协调部(NSCB),即国民账户的编制者;②国家经济发展当局(NEDA),即经济规划机构;③环境资源部,负责管理和保护自然资源与环境的机构。总统令要求这些机构采取行动,将环境账户作为菲律宾国民核算体系(PSNA)的卫星账户正式编制;同时也要求在规划和政策制定中需要集成环境核算的结果。创建了PEENRA的指导委员会以便对PEENRA的机构提供指导。委员会由NEDA的局长领导,其他机构派出副部长级别的人参与。

后续工作包括:

(1)启动一个数据开发项目,以此缩小试验研究中存在的明显数据缺口。这应该作为广泛环境统计计划的一部分,包括建立网络监控台站或改进不同合作机构的现存数据库;

(2)培训在政策制定中使用环境核算;

(3)启动一个研究项目,一方面评价政策或管理对账户的直接利用,另一方面评价通过模型和进一步分析对账户的间接利用;

(4)扩展实物型账户如物质/能源平衡表或投入-产出表;

(5)开展区域环境核算的可行性/试验研究;

(6)举办培训讨论会,开展技术合作提高能力建设水平。

如第5章所述,分析集成核算结果的政策应用是促使用户群体相信需要定期编制这些账户的基础性工作。一般统计人员不愿意分析自己提供的统计数据。原因是他们要维持自己作为客观的“观测”数据提供者的身份,如果涉及数据解释或模拟会损害自己这方面的声誉。然而,这样会丢失很多关于统计数据和指标的质量、有效性及定义方面的信息。同时,用户也很难接受对已深入人心的经济总量指标如国内生产总值(GDP)、成本或资本的任何修正。正如上面指出的,获取统计人员的知识和教育用户团体的最好方式是,让用户在项目开始时和有所有数据提供者和使用者参加的国家研讨会上就参与进来,这种全程的参与可以确保更广泛地接受环境调整的账户和指标。

附录Ⅰ:SEEA 实施说明:步骤和活动❶

步骤 1:编制供给和使用账户。

步骤 2:确定和编制环境保护支出账户。

步骤 3:编制制造自然资产账户。

3.1 确定利用栽培自然资产的产业。

3.2 估计账户初期的固定资产/存货存量的价值。

3.3 归并国民账户的总固定资本形成、存货变化和资本消耗数据。

3.4 估算由于自然灾害、其他毁坏和无补偿的当局罚没等引起的其他量的变化。

3.5 估计核算期末的固定资产/存货的价值。

步骤 4:编制自然资源实物账户。

4.1 土地与土壤账户。

4.2 地下资产账户。

4.3 森林账户(经济功能)。

4.4 渔业资源和其他的生物资源账户。

4.5 水账户。

步骤 5:自然资源估值:编制价值账户。

5.1 确定不同的自然资源产出的市场价格。

5.2 估算单位资源产出的总生产成本。

5.3 估算资本的正常收益。

5.4 确定净营业盈余。

5.5 计算净价格为(5.1)减去(5.2)、(5.3);或(5.4)减去(5.3)。

5.6 采用市场价格或核算期初的净价格对非制造经济资产的期初存量估值。

5.7 对非制造经济资产变化运用平均净价格方法估值。

5.8 采用市场价格或核算期末的净价格对非制造经济资产的期末存量估值。

5.9 计算“重估值”项,以平衡核算期初与期末及其他所有的资产变化。

5.10 在 SEEA 中输入环境(枯竭)成本以计算 EVAI、EDPI 等。

5.11 确定贴现率。

5.12 采用当前的开采速度确定资源的寿命期。

5.13 应用前面已经确定的贴现率和寿命期,计算当前净利润的使用者成本补贴。

5.14 在 SEEA 中输入使用者成本补贴用来计算备用的 EVA Ⅰ和 EDP Ⅰ。

步骤 6:编制环境资产实物账户(可选)。

步骤 7:编制经济部门的排放账户。

---

❶ 建立 SEEA 各模块的步骤,可以依据国家的优先性和对于数据的可获得性进行选择。

步骤 8:排放的维护成本计算。

8.1 估算避免/恢复环境退化行为的最小成本。

8.2 应用最小单位成本对污染物估值。

8.3 向备用的 SEEA 版本中输入使用者成本补贴,计算 EVA Ⅱ和 EDP Ⅱ。

步骤 9:汇总与制表。

步骤 10:比较传统账户指标和环境调整的指标。

附录Ⅱ:环境保护活动分类(CEPA)

1 环境空气和气候保护。
  1.1 通过改变生产过程预防空气污染。
    1.1.1 环境空气保护。
    1.1.2 气候和臭氧层保护。
  1.2 废气处理和通风。
    1.2.1 环境空气保护。
    1.2.2 气候和臭氧层保护。
  1.3 计量、控制、实验室等。
  1.4 其他活动。
2 废水管理。
  2.1 通过改变生产过程预防水污染。
  2.2 下水道系统。
  2.3 废水处理。
  2.4 冷却水处理。
  2.5 计量、控制、实验室等。
  2.6 其他活动。
3 废物管理。
  3.1 通过改变生产过程预防废物污染。
  3.2 废物收集和运输。
  3.3 危险废物处理和处置。
    3.3.1 热处理。
    3.3.2 填埋。
    3.3.3 其他的处理和处置。
  3.4 非危险废物处理和处置。
    3.4.1 焚化。
    3.4.2 填埋。
    3.4.3 其他的处理和处置。
  3.5 计量、控制、实验室等。
  3.6 其他活动。
4 土壤和地下水保护。
  4.1 预防污染物渗透。
  4.2 土壤净化。
  4.3 防止土壤侵蚀。
  4.4 计量、控制、实验室等。
  4.5 其他活动。

5 噪声和震动控制。
 5.1 公路和铁路交通噪声。
  5.1.1 改变生产过程控制噪声源。
  5.1.2 抗噪声、抗震动设施。
 5.2 航空交通噪声。
  5.2.1 改变生产过程控制噪声源。
  5.2.2 抗噪声、抗震动设施。
 5.3 工业加工噪声。
 5.4 计量、控制、实验室等。
 5.5 其他活动。
6 生物多样性与景观保护。
 6.1 物种保护。
 6.2 生境保护。
  6.2.1 森林保护。
 6.3 种群和景观重建。
 6.4 清洁水体恢复。
 6.5 计量、控制、实验室等。
 6.6 其他活动。
7 防止辐射(不包括核电站与军用设施)。
 7.1 环境介质保护。
 7.2 计量、控制、实验室等。
 7.3 其他活动。
8 研究与开发。
 8.1 环境空气和气候保护。
  8.1.1 环境空气保护。
  8.1.2 大气和气候保护。
 8.2 环境水体保护。
 8.3 废物管理。
 8.4 土壤和地下水保护。
 8.5 噪声与震动控制。
 8.6 物种与栖息地保护。
 8.7 预防辐射。
 8.8 其他环境研究。
9 其他的环境保护活动。
 9.1 环境保护的一般管理。
 9.2 教育、培训与信息。
 9.3 引起不可分割支出的活动。
 9.4 其他活动。

附录Ⅲ　1993版本SNA和SEEA关于非金融资产的分类(CNFA)

CNFA	SNA(rev.)
1　制造资产(CC3.1)	AN.1
1.1　人造资产(3.1.1.1)	
1.1.1　固定资产	AN.11 - part
1.1.1.1　有形固定资产	AN.111 - part
1.1.1.1.1　住宅	AN.1111
1.1.1.1.2　其他的建筑物和构造物(包括历史古迹)	AN.1112
1.1.1.1.3　机器与设备	AN.1113
1.1.1.2　无形固定资产	AN.112
1.1.1.2.1　矿物开发	AN.1121
1.1.1.2.2　其他无形固定资产	AN.1122,AN.1123,AN1129
1.1.2　存货	AN.12-part
1.1.2.1　材料与供给品	AN.121
1.1.2.2　在制品(自然增长产品除外)	AN.122
1.1.2.3　成品	AN.123
1.1.2.4　转售品	AN.124
1.1.3　贵重物品	AN.13
备注：　耐用消费品(3.1.2)	AN.m
1.2　栽培自然增长资产(活生物群)	
1.2.1　栽培自然增长的固定资产	AN.1114
1.2.1.1　种畜、奶畜、役畜等	AN.11141
1.2.1.1.1　牲畜(水生动物除外)	
1.2.1.1.2　鱼池或渔场中鱼和其他水生动物存量	
1.2.1.2　葡萄园、果园及其他能重复产出产品的树木植园	AN.11142
1.2.2　自然增长产品的在制品	AN.1221
1.2.2.1　宰杀用饲养牲畜	AN.12212
1.2.2.1.1　饲养牲畜(水生动物除外)	
1.2.2.1.2　鱼池或渔场中鱼和其他水生动物存量	
1.2.2.2　栽培森林中的农作物和植物	
1.2.2.2.1　尚未收获的作物和其他制造植物(在制品)	

续附录Ⅲ

CNFA	SNA(rev.)
1.2.2.2.2　成片林中的树	
1.2.2.2.3　栽培森林中的其他植物	
2　非制造资产	
2.1　非制造自然资产	AN.2
2.1.1　野生生物群	AN.213
2.1.1.1　野生动物群(野生水生动物除外)	
2.1.1.2　野生鱼类和其他水生动物	
2.1.1.3　野生植物(非栽培森林除外)	
2.1.1.4　非栽培森林中的树木和其他植物	
2.1.2　地下资产(探明的储量)	AN.212
2.1.2.1　化石地下资产	AN.2121
2.1.2.1.1　煤、褐煤及泥煤	
2.1.2.1.2　原油	
2.1.2.1.3　天然气	
2.1.2.2　金属及其他矿藏	AN.2122
2.1.2.2.1　铀、钍矿	
2.1.2.2.2　金属矿	
2.1.2.3　非金属矿储量	AN2123
2.1.2.3.1　石、沙及黏土	
2.1.2.3.2　其他矿产	
2.1.3　土地(包括土壤和生态系统)	AN.211
2.1.3.1　土壤	
2.1.3.2　栽培(经济上使用的)地域(包括相关的生态系统)	
2.1.3.2.1　建筑物和工厂下面的土地	AN.2111
2.1.3.2.2　农业用地	AN.2112
2.1.3.2.3　森林(成片林)及其他林地	
2.1.3.2.4　经营性娱乐用地及其他开放地	AN.2113 - part
2.1.3.2.5　人工渠道及蓄水池占地	AN.2119 - part

续附录Ⅲ

CNFA	SNA(rev.)
2.1.3.3　非栽培地域(包括有关的生态系统)	AN.2113 - part AN.2119 - part
2.1.3.3.1　潮湿的开阔地	
2.1.3.3.2　有植被覆盖的干旱开阔地	
2.1.3.3.3　无或有少量植被覆盖的开阔地	
2.1.3.3.4　水域面积(人工渠道和蓄水池除外)	
2.1.4　水	AN.214
2.1.4.1　地下水	AN.2141
2.1.4.1.1　蓄水层	AN.21411
2.1.4.1.2　其他地下水	AN.21412
2.1.4.2　湖水、河水	
2.1.4.2.1　水库、人工渠道及蓄水池中的水体	AN.2142
2.1.4.2.2　其他	AN.2149
2.1.4.3　近海水体	AN.2149
2.1.4.4　海洋水体	AN.2149
2.1.5　空气	
2.2　非制造无形资产(租赁、商誉等)	AN.22

附录Ⅳ:土壤评价样例

样例1:通用土壤流失方程(Lai和Pierce,1991):该方程自Cook(1996)提出以来,至今仍被广泛应用。该方程将年内平均土壤流失(A)表示为:

$$A = RKLSCP$$

式中 R——降雨侵蚀能力,是气候因素的函数;

K——土壤侵蚀度,由土壤颗粒大小、土壤有机质含量、土壤结构等确定;

L——坡长系数;

S——坡度系数;

C——植被覆盖因子;

P——侵蚀防治措施因子。

Wischmeier和Smith(1978)对这种方法进行了详细的论述。

样例2:营养物置换成本法(Norse和Saigal,1993),该研究的主要目的是提供一种估算土地退化经济成本的系统方法(对土壤侵蚀的处理采用Stocking的方法,该方法认为土壤侵蚀与氮、磷及有机碳的流失有非常显著的联系)。该研究试图将Stocking收集的1970~1976年的数据进行归类和分析。原始数据包括从侵蚀地采集池中获得的淤泥数据,这些数据记录了氮、磷和有机碳的百分比浓度。利用这些数据进行回归分析,可以推导侵蚀状态下的养分流失情况。农业用地被划分为商业用地和公共地,并进一步划分为牧草地和耕地。这些结果用来预测国家总体的侵蚀情况,利用当前化肥价格可将这些分析结果折合为货币值。基于无机元素—化肥—替代得到每年养分流失的总价值为15×108美元(US)(按1985年化肥的市场价格和当年的汇率)。

这项研究有两个主要的局限:①人工施肥的植物与自然生长的植物对养分的需求不同,采用同样的营养物置换成本来估算经济成本其准确性存在问题;②该方法没有确定养分流失与产量减少之间的关系。

样例3:产量—投入关系(Parikh,1991):该方法将投入函数与土壤质量函数的乘积作为产量。土壤质量指数由土壤固有的物理和化学属性决定,即土壤类型(沙地、肥土、低黏土、高黏土),土壤颜色(黑、灰、黄),土壤深度(小于1尺、1~3尺、大于3尺),土壤盐度(无、中度、贫瘠),地表排水性(好、中、差),渗透率(高、中、低)。研究工作采用1975~1976年、1976~1977年两个连续时间段内收集的化肥需求调查数据,调查数据涵盖了印度所有地区大约21 500家农户,并利用回归分析构建了土壤质量指数。可以通过将土地属性的样本数据代入下面的方程来判断土地质量的变化。

$$\Delta V = \sum_{t=1}^{\infty}(Q_t - Q_{t+1})\frac{Y_{t+1}}{(1+r)^t}$$

式中 Q_t——t时期初土地质量指数;

Y_t——t时期产量的净价值;

ΔV——t时期到$t+1$时期土地价值的变化;

r——贴现率。

这种方法在印度得到应用。Parikh(1991)利用截面数据估算了各州的土地质量方程。

样例4:基于沉积物数据研究哥斯达黎加的土壤侵蚀(来源:Aguirre,1997):作者利用70条主要河流的沉积悬浮物数据,采用一种简单的方法估算了土壤侵蚀。土壤流失被分为两个阶段:

阶段(1):①从 Isntituto Costarricense de Electricitad(ICE)获取70条主要河流一年内的沉积悬浮物的估算数据;②将沉积物转化为体积密度为0.95、厚度为20cm的土壤公顷当量。

阶段(2):①估算哥斯达黎加基础土壤中平均养分量;②估算总的养分流失。

表1给出了从该研究中提取的部分相关数据。

表1 哥斯达黎加土壤中的养分流失和成本

养分	土壤养分(kg/hm^2)	流失总量[a](公顷当量)	价格/kg	总价值(美元)
氮	3 791	168 437 921	0.451	75 965 502
磷	24	1 066 344	0.400	426 538
钾	319	14 173 489	0.610	8 645 828
钙	4 320	191 941 920	0.093	17 850 599
镁	648	28 791 288	0.480	13 819 818
总计				116 708 285

注:a项由“土壤养分”列中的数字乘养分流失系数(44 431)得到。

附录Ⅴ　空气中的排放物

1. 经济活动和空气中的排放物

下面的两个例子摘自 Gravgard(1998)的研究报告。

例 1　国内活动的 SO_2 排放

欧洲关于大范围跨界空气污染的 1979 协议要求各国为提交给经济委员会的 1990(CORINAIR)数据库和报告开展大气排放物的调查,从而大多数欧洲国家都详细记录了 SO_2(及其他废气物)的排放情况(United Nations, Economic Commission for Europe, 1996)。因此,许多国家都有 SO_2 排放总量的数据,这些总量数据可以(尽管有点难)分配到不同的产业中,并与国民核算连接起来。

在将 SO_2 分摊到产业中之前,需要考察引发 CORIAIR 中 SO_2 排放物的活动数据与能源利用情况,特别是运输活动。

CORINAIR/ECE 调查的主要目的是说明在国家层次上,飞机、船只、汽车排放的 SO_2 对酸化作用的贡献。排放源的界定如下:

(1)飞机:低于 1 000m(对应飞机的起落(LTO)时段)飞行的所有(所有国家的)飞机;

(2)船只:在国内的两个港口间航行的所有(所有国家的)船只[1];

(3)汽车:国内所有使用燃料的汽车。

这些定义并没有参照国民核算中经济活动(相关的实际活动)的定义。

根据国民核算和 CORINAIR 划分的活动类型,表 1 展示了对 1990 年丹麦船只的能源消耗和排放 SO_2 的粗略估计结果。

表 1　1990 年丹麦船只的活动

核算准则	能源利用(10^{15} J)		SO_2(t)
国民账户	在丹麦加燃料	12	13 000
	在国外加燃料	118	204 000
	总计	130	217 000
CORINAIR、ECE	能源利用 丹麦国内港口之间的航行	8	7 000

根据 1990 年国民核算中划分的经济活动,丹麦船运公司(丹麦的长驻机构)在丹麦国内加燃料 12×10^{15} J(排放 13 000t SO_2),在国外加燃料 118×10^{15} J(排放 204 000t SO_2)。因此,丹麦船运公司的船只所加燃料总量为 130×10^{15} J(排放 217 000t SO_2)。丹麦国内加的燃料被用来在国内外航行,同时大部分国外加的燃料是在丹麦领土外消耗的。

按照 CORINAIR 的划分标准,在丹麦港口间航行的国内外船只消耗 8×10^{15} J 的能源

[1] 从这个定义可推出,从哥本哈根到附近瑞典的 Malmoe 市的运输既不属于丹麦,也不属瑞典的国内运输,而从波罗的海的俄罗斯港口出发,经过北海、英吉利海峡,绕过葡萄牙、西班牙,通过地中海、博斯普鲁斯海峡,最后回到黑海的俄罗斯港口,被认为是俄罗斯的国内运输。

(排放 7 000tSO_2)。

能源利用和 SO_2 排放在依据国民核算准则和 CORINAIR 准则划分的活动之间差异十分显著。就 CORINAIR 活动分类而言,丹麦 1990 年能源利用总量为 679×10^{15}J,SO_2 排放总量为 189 000t。这些数据的比较说明,依据国民核算准则计算的丹麦船运公司在国外加燃料的船只排放的 SO_2 大于依据 CORINAIR 准则计算的所有丹麦船只的 SO_2 排放量。

无疑可以用 130×10^{15}J 和 217 000t SO_2 反映丹麦船运公司(丹麦的常驻机构)的经济活动利用的能源和排放的 SO_2,同时可以用 8×10^{15}J 的能源利用、7 000t 的 SO_2 排放反映丹麦发生的船运活动(丹麦国内和国外船只)对丹麦环境的影响。因此,组合 CORINAIR 的 SO_2 排放数据与丹麦国民账户中的对应数据是不是正确,这取决于编制经济和环境账户的目的。

例 2 国内活动的 CO_2 排放

为了支持 1992 年大约 150 个国家在里约热内卢签署的联合国气候变化框架协议(A/AC.237/18(PartⅡ)/Add.1 and Corr.1,annexⅠ),各国通常都依照政府间气候变化专门委员会(IPCC)的指导原则对 CO_2 的排放进行统计。CORINAIR 对国内 SO_2 排放的指导原则是强调其对国家环境造成的压力,而 IPCC 对 CO_2 排放的指导原则强调国家对全球 CO_2 问题负的责任。就运输/移动源而言,依据 IPCC 指导原则对国家 CO_2 排放调查需考虑下列来源:

(1)飞机:包括所有在国内起飞和降落(LTO)(低于 1 000m)和在国内巡航(高于 1 000m)的飞机。国内运输定义为,不考虑航线和目的地,任何在国内两个空港间的运输。包括国内外航空公司的飞机;

(2)船只:在国内两个港口间航运的所有(所有国家的)船只;

(3)汽车:所有使用国内出售燃料的汽车。

根据丹麦的国民账户和 IPCC 报告划分的活动类型,表 2 展示了对 1990 年丹麦飞机(军用飞机除外)的能源消耗和排放 CO_2 的粗略估计结果。

表 2 1990 年丹麦飞机的活动

核算准则	能源消耗(10^{15}J)		CO_2(10^3t)
国民账户	丹麦航空公司的飞机	25	1 800
IPCC,联合国气候变化框架协议	国内运输	1	72

丹麦航空公司的经济活动大约消耗了 25×10^{15}J 的能量(排放 $1\ 800\times10^3$t CO_2)。这些能量是丹麦飞机在丹麦、其他国家及国际领空起落、巡航中消耗的。

相反,依据 IPCC 的指导原则,丹麦飞机消耗的能量只有 1×10^{15}J(排放 72×10^3t

CO_2),大约只有采用国家核算准则计算的能源消耗的4%。IPCC的结果中包括了国外航空公司的飞机消耗的一部分能量,但这部分能量很小,因为丹麦地域面积小、飞机场数量少、飞机的国内起落与巡航较少等❶。

这里,可再次发现基于国民核算活动分类与基于国家环境统计/IPCC核算计算的能源消耗与 CO_2 排放数据之间存在显著的差异。后一个例子中,IPCC与国家核算方法都集中在国民活动的影响上(从责任/诱发成本的角度讨论),但是两种方法对国内活动的定义差别很大,所以得到的结果相差甚远。

❶ IPCC的报告指南中也包括了国际交通运输的排放,但这部分排放不计入国内排放总量。

附录Ⅵ 理解备忘录

政府代表 援助机构(合作机构)

1 背景

本理解备忘录展示了供参加合作的政府与捐赠/合作机构参考的条款。联合国环境与发展大会要求所有成员国在联合国统计署和其他国际组织的帮助下建立集成环境经济核算(SEEA)。本项目是为完成这一要求而设计的。

2 目标与方法

项目的综合目标是为政府准备使用基于 SEEA 的环境核算框架,首次呈现集成环境经济的信息时提供支持。SEEA 已经设计成 1993 SNA 的卫星体系,与 SNA 的传统经济账户一起促进 SEEA 的实现。

[ ](国名)的经济增长一直在很大程度上依赖自然资源来驱动工业化进程。自然资源(如森林、煤、石油等)为许多部门的发展提供的重要投入。然而在传统的国家账户体系中,并没有记录资源的枯竭。这种遗漏可以通过引入 SEEA 中的自然资源核算加以修正。此外,土壤侵蚀和空气、水、土地等环境介质污染造成的自然资产退化已经成为当前的主要问题。这些环境问题的社会成本在 SEEA 中进行了评价,并分摊到了引起环境影响的经济活动中。

此外,环境变化引起的直接或间接的公共和私人支出。改善排水系统或控制土壤侵蚀来提供安全的饮用水的支出可以视为环境相关的支出。这些支出在传统的核算账户也容易确定,但是随之发生的对人类健康和福利影响(如医疗等相关支出)的成本却难以定义和测量。这种间接成本的估计在本项目中并未做更多的讨论,以后的研究将会进行评价。

[ ](国名)集成环境经济核算的主要目标有:

(1)分离和详细描述传统核算中与环境相关的流量和存量,允许分别估计保护或改善环境的总支出;

(2)将实物型资源账户(记录自然资源存量(储量)及其变化)、价值型环境账户和资产负债表连接起来;

(3)一方面评价生产和最终需求造成的自然资源枯竭的环境成本和福利,生产、消费及自然事件造成的污染和其他影响引起的环境质量变化,另一方面评价环境保护和改善情况;

(4)通过净资本积累(发现、增加和使用/消费)来解释有形财富的维护,评价自然资产和制造资产的存量(储量);

(5)详细阐述和计算环境调整的生产和收入指标。为计算宏观汇总指标,也就是环境调整的国内生产净值,需要考虑自然资源枯竭和排放物的成本。

编制[ ](国名)环境—经济账户的基本方法是,采用 1990 年和 1995 年(投入—产出表已经编制好的年份)作为基准年,利用存在的国民账户中的数据,对环境资产的枯竭与退化做适当的调整,确定与环境相关的支出。建立 1990 年和 1995 年完整的集成核算体系和表格。对于1990～1995年中间的年份和接下来的某年,将编制简化的账户。

连接SNA与环境和自然资源账户的过程,可以通过在SEEA中合并1993 SNA中的制造与非制造资产实现。制造与非制造资产被整合到供给和使用账户及资产账户中。采用这种方法可以进行集成规划和政策制定时需要的集成环境经济分析,这也是实施SEEA的基本方法。

3 活动与产出

为支持政府在SEEA的集成核算框架下首次呈现环境信息,需要开展一些不同的"活动",这些活动可以划分为下面的五个程序单元:

(1)详细阐述[ ](国名)的SEEA框架;

(2)编制1985～1992年的集成环境经济试验账户;

(3)评估项目成果;

(4)培训该国的员工;

(5)项目报告定稿。

每个程序单元(PE)中又包括一系列的活动(括号内是估计的执行时间):

PE1 详细阐述[ ](国名)的SEEA框架

活动1.1 设计核算框架和相关的数据表[1999年6月]

PE2 编制1985～1992年的集成环境经济试验账户

活动2.1 确定主要的数据源[1999年6～7月]

活动2.2 改编国民账户(SNA)以进行环境分析[1999年7月]

(1)编制供给－使用表;

(2)确定环境保护产品和支出数据;

(3)编制制造资产账户。

活动2.3 编制实物型自然资产账户[1999年7～12月]

活动2.4 编制污染物和废物排放及其他环境资产退化数据[1999年7～12月]

活动2.5 编制价值型环境账户

(1)编制市场估值和维护成本估值的成本和价格数据[1999年7～12月]

(2)改善/重排实物数据和实物数据的估值[2000年1～2月]。

PE3 评估项目成果

活动3.1 分析项目结果对于规划和政策制定的意义[2000年3月]

活动3.2 完成初步的项目报告(草稿)[2000年4月]

活动3.3 完成项目报告概要(总结)版 [2000年5月]

活动3.4 召开数据提供者及使用者的国家研讨会[2000年5月]

PE4 培训[](国名)的员工

活动4.1 贯穿整个项目的对该国员工的在职培训

PE5 项目报告定稿

4 预算

预算如表 1 所示。

表 1 预算表

共用成本分配	总计(美元)	研究人员
国家顾问	70 000[100 000]*	
顾问团成本(外籍顾问,2 人/月)	20 000	
技术支持(外籍顾问,3 人/月)	28 500	

注:* 试点项目成本浮动范围。

[ ](执行机构名)在项目实施过程中,将收到项目经费 70 000[100 000]美元。捐助机构将提供经费的使用说明。捐助机构为实施 SEEA 提供技术支撑团,并帮助编制和评估/分析实物型和价值型账户。

5 后续工作

项目最终报告需要详细说明编制过程中遇到和解决的问题,或需进一步研究解决的问题。问题可能包括数据缺口和方法问题。报告同时需要针对数据库的改进,适合于该国情况的概念和方法等方面提出建议。

试验项目是出于试验的目的而实施的,只利用了当前容易获得的信息,报告也需要为国家长期实施集成环境经济核算和国内相关的数据收集提供建议。这个项目也可以包括对该国选定的地区或省份实施集成的地区核算。

政府代表	联合国代表
签字	签字
(时间,地点)	(时间,地点)

附录Ⅶ SEEA软件使用手册

一、引言

SEEA软件是一个用于开发SEEA中诸多模块的友好用户软件。它由一系列的原始工作表(WS)组成,以实物量和价值量的形式呈现,按照国家账户的定义和分类记录各要素的流量和存量。

用户可以通过选择不同的分类(ISIC和CEPA)来定制工作表,也可以改变汇总数据的配置状态。同时,这些工作表也可以导出数据给其他一些工作表处理软件(如EXCEL和LOTUS),作进一步的分析。

SEEA软件由16个工作表组成,分类如下:

(1)供给-使用表(WS1A和WS2A);

(2)资产账户(WS3A、WS4A、WS5A、WS5B、WS5C、W6A);

(3)退化(排放)账户(WA7A、WS8A、WS8B);

(4)汇总表(WS9、WS10A、WS10B、WS10C、WS11)。

(一)供给和使用

包括供给和使用表(WS1A)和环境保护支出表(WS2A)。WS1A记录国内产出和进口产品的供应,以及中间消耗、最终消费、总资本形成和总净增加值。WS2A从WS1A的经济综合指标中划分出与环境相关的流量,并且按照环境保护活动分类(CEPA)分别确定环境保护外部支出和环境保护收费及补贴。

(二)资产账户

资产账户包括:

(1)制造资产(价值型,WS3A);

(2)非制造经济资产(实物型,WS4A;价值型,WS5A,WS5B,WS5C);

(3)非制造环境资产(实物型,WS6A)。

(三)退化(排放)账户

对环境质量变化的测量和估值,包括"经济部门排放(WS7A)"和相关的维护成本(WS8A和WS8B);

编制资产和退化的价值型账户,至少需要制定一种情景,也就是说需要选择非制造资产和排放的估值方法。

(四)汇总表

汇总表是由WS1A~WS8B推导出来的,是为分析SEEA编制的结果而设计。集成环境经济账户提供了编制SEEA的一个总结。从SEEA编制中得到的环境调整指标和传统的综合指标汇总在表中(WS10A、WS10B、WS10C)。很多指标是自动计算得到,有一些不是自动计算得到的。综合指标也可以通过下面讨论的公式计算得到。在这一组表中还包括环境质量指标表(WS11)。

二、SEEA 软件的使用说明

下面是 SEEA 软件的使用说明,对每一个工作表的编制提供了详细的指导。

总体步骤如下:

(1)创建一个新的年度存档文件;

(2)编制供给和使用表(WS1A);

(3)编制环境保护支出表(WS2A);

(4)编制制造资产账户表(WS3A);

(5)编制自然资源实物型账户表(WS4A);

(6)编制非制造经济资产的市场估值表(WS5A),非制造资产账户的价值表(WS5B),经济活动造成的非制造经济资产的枯竭表(WS5C);

(7)编制非制造环境资产的实物账户(WS6A);

(8)编制经济部门的排放账户(WS7A);

(9)编制经济部门排放物的单位维护成本(WS8A)和经济部门排放的总维护成本(WS8B);

(10)编制集成环境经济账户(WS9);

(11)编制和比较传统指标与环境调整的综合指标汇总(WS10A),传统指标和环境调整指标的分配比例汇总(WS10B)及产业对传统和环境调整综合指标的贡献比例汇总(WS10C);

(12)编制环境质量指标(WS11)。

SEEA 软件可以从互联网上免费下载(联合国统计署:http://un.org/depts/unsd/enviro, FEEM: http://www.feem.it/gnee/seeahot.html/info.html)。软件包括三个文件:Disk1.zip、Disk2.zip 和 Disk3.zip。创建一个临时文件夹(如 SEEA),将文件下载到临时文件夹。下载后点击文件(File),按照屏幕的提示进行安装。安装密码为 654884449。

点击 SEEA 图标,首先出现年份列表窗口,列出所有已经创建的年份存档文件[1]。窗口顶部的菜单栏包括:

文件(File):只包括退出(Exit)命令,用于退出 SEEA 程序。

窗口(Windows):包括图标和窗口重排命令:重叠(Cascade),水平排列(Tile horizontally),垂直排列(Tile vertically),排列图标 (Arrange icons);

年份列表(Year list):显示年份列表窗口;

图例(Legend):显示工作表状态和当前打开的窗口列表;

?:帮助信息。

屏幕上方的按钮栏显示与存档文件相关的功能选项,包括:

新建(New):创建一个新的年度存档文件;

删除(Delete):删除已经存在的年度存档文件;

配置(Configure):设定所选年度存档文件的属性;

[1] 一个年份存档文件包括某一年所有相关工作表。

打开(Open):激活包含特定年份存档文件的窗口;

复制(Copy):复制特定年份的存档文件。

表1列出了SEEA的部分命令,更多的命令参看帮助信息。

表1　SEEA的部分命令

命令	功能
F1	激活帮助信息
Shift+箭头	选择一组单元格
CTRL+C(复制)	可以用于SEEA中不同工作表间,SEEA与其他工作表处理软件(如EXCEL、LOTUS)间的复制
CTRL+X(剪贴)	删除所选择单元格中的内容,并将内容存入剪贴板
CTRL+V(粘贴)	在插入点插入剪贴板上的内容,替换选择区当前的内容。可以在不同的SEEA工作表间,SEEA与其他工作表处理软件(如EXCEL,LOTUS)间进行复制
Shift +Del	删除选择区的内容

(一)创建一个新的年度存档文件

点击新建(NEW)来创建一个新的年度存档文件,点击后将出现年(Year)属性对话框。出现的年属性对话框将用于设置该年份所有工作表的属性,共提供三个标签:常规项、工作表配置和工作表设置。

1. 常规项(General)

常规项通常提供下列选项。

(1)年份(Year):设定年份,将显示在每一个工作表的标题栏中;

(2)描述(Description):关于年的描述。将同年份一起显示在每一个工作表的标题栏中;

(3)货币(Monetary unit):设定货币单位。将出现在价值型工作表中的第4行;

(4)国家(Country):设定国家的名字。将显示在每个工作表的第3行B列。

2. 工作表配置(Worksheet configuration)

工作表配置中提供了下面的选项:

ISIC:各工作表中的产业划分标准细则。所选择的ISIC分类经济活动将在WS1A、WS2A、WS5C、WS7A、WS8A、WS8B、WS9、WS10A和WS10C中出现。有如下3类选择:

(1)数字1:1类的ISIC分类产业将被选择;

(2)数字2:2类的ISIC分类产业将被选择。

(3)自定义,用户选择的活动将显示在后面的工作表中。其他(Other)选项将允许这些活动的综合指标简略显示。

CEPA:环境保护活动的分类细则,该选项仅影响WS2A。有如下3类选择:

(1)数字1:1类的CEPA产业分类将被选择;

(2)数字2:2类的CEPA产业分类将被选择。

(3)自定义:用户选择的活动将显示在后面的工作表中。

3. 工作表设置(Worksheet specifics)

工作表设置中提供了下列选项:

(1)数字 1:制造资产分为*有形固定资产*、*存货*、*无形固定资产* 和*未分配的* 4 类;

(2)数字 2:农业、林业和渔业活动所拥有的指定*制造资产的有形固定资产* 和*存量* ,并为其他资产引入表头,*未分配* 的是那些没有指定资产的综合值。

(3)自定义,容许用户自由的选择汇总水平。例如,在对固定资产与库存不加区别的情况下,可仅选定栽培资产和其他资产进行汇总(进一步的解释见年属性的帮助)。

WS5A 为非制造经济资产的市场估值,定义 WS5A 的行数目(将用于自然资产的价值估计)。

WS6A 为实物资产账户,定义 WS6A 中列的数目。

WS7A 为经济部门的排放账户,定义 WS7A 中将显示的每一组行的数目。

WS11 为环境质量的指标,定义 WS11 中每一组行的数目。

关闭对话框并选择"OK"按钮存盘。

从年份列表中选择一个年份存档文件,点击"打开(Open)",激活工作表窗口。当前窗口展示了选定年份的所有工作表,全部的工作表被分为四组,在窗口中以不同的底色背景加以区别:

黄色:包括供给和使用表 (WS1A,WS2A) 按钮;

蓝色:包括资产账户(WS3A,WS4A,WS5A,WS5B,WS5C,WS6A)按钮;

红色:包括退化(排放)账户工作表(WS7A,WS8A,WS8B)按钮;

绿色:包括汇总表(WS9,WS10A,WS10B,WS10C,WS11) 按钮。

通过点击标记有相关工作表名称的按钮,可以打开、浏览、编辑或修改工作表。交通信号灯指示工作表当前的状态(绿色,已完成;黄色,正在编制;红色,尚未编制)。

可以为特定年份选择情景(估值方法),在创建新的估值方法后,在列表对话框中输入情景名称,点击"增加"按钮;或者从已有的情景中进行选择。之后,与被选择情景关联的工作表被激活。点击"删除"按钮可以删除已有的情景。预设最大情景数为 100。

工作表或分组间的箭头反映了相互间的功能关系。可以修改已经设置好的年份存档文件的原始属性(如调整 ISIC 分类等)。为了修改设置,首先从年份列表中选择需要修改的年份,再点击"配置"按钮,在出现的年配置对话框中修改配置信息。修改后的信息将自动执行。

注意:一旦配置被更新,就不能再恢复回到原始配置,建议在修改配置前进行备份。

每个工作表上都有一个工具栏,工具栏上有下列内容:

(1)格网线(Gridline):用于显示/隐藏工作表上的格网;

(2)完成标记(Sign as completed):用于表示当前的工作表是否完成;

(3)一致性检验(Consistence check):用于检查当前的工作表中是否存在一致性错误;

(4)存盘(Save):保存当前工作表;

(5)打印(Print):打印当前工作表;

(6)关闭(Close):关闭当前工作表;

(7)文本(Text):表示单元格的类型,选择单元格然后按文本按钮就可改变单元格为

文本类型;

(8)方法(Method):表示所选单元格和另一窗口之间存在关系。

(二)编制供给和使用表(WS1A)

WS1A包括供给和使用表,其中的价值量数据是编制其他工作表的基础。实际上WS1A中的数据能自动换算到其他的表格,以便进一步地分解和更改。正如在前面所谈到的,利用工作表配置属性可以让用户选择其所需要的与环境分析相关的ISIC产业分类。

1. 行8~行12

在每一个ISIC分类的列,产出(行8)可以进一步分解成市场产出(行9)、自用产出(行10)和其他的非市场产出(行11)。未分配的(行12)是一个残余项可以自动地计算生成,因此在每一个按ISIC分类的产业中,下面的恒等式成立:

产出=市场产出+产出(自用)+其他非市场产出+未分配的产出

2. 行13

中间消耗/最终使用(行13)包含经济活动的中间消耗(列G-CN),进口(列CP);带负号的:出口(列CP),政府的最终利用(列CT),家庭和NPISHs(列CV),资本形成(列CY)

3. 行14和行16

总增加值(行14)和净增加值(行16)按如下公式自动计算:

总增加值=产出-中间消耗

净增加值=产出-中间消耗-固定资产消耗

4. 行17~行20

在每一个按ISIC分类的产业列,净增加值可进一步分解为劳动者报酬(行17),营业盈余(行18),税收(行19)和补贴(行20),必须满足下面的恒等式:

净增加值=劳动者报酬+营业盈余+税收-补贴

5. 一致性检验

WS1A包含警告1和警告2两个一致性检验。

如果不满足如下的供给和使用恒等式将出现警告1:

总产出(行8,列CN)=中间消耗(行13,列CN)+出口(行13,列CR)+最终消费(政府(行13,列CN)+家庭和NPISHs(行13,列CV))+总资本形成(行13,列CY)-进口(行13,列CP)

式中:进口是带负号的。

如果按ISIC分类的产业不满足下面的恒等式将出现警告2:

净增加值(行16)=劳动者报酬(行17)+营业盈余(行18)+税收(行19)-补贴(行20)

举例:如果出现窗口警告对话框Warning (col. G):(2)时,表示下面的恒等式不满足:

(列G,行16)=(列G,行17)+(列G,行18)+(列G,行19)-(列G,行20)

式中:补贴有一个负号。

(三)编制环境保护支出

WS2A 单独说明环境保护支出❶,将其作为产出(环境保护服务,行 9)、中间和最终消费(环境产品,行 15)、进口和出口(环境产品,行 15)和增加值(环境收费,行 101 和环境补贴,行 111)的一个子集。

WS2A 中的列标题和 WS1A 相同。

行标题包含 WS1A 的行标题(不包括行 9,行 10,行 11)和环境保护支出(按照 CEPA 分类)。

WS1A 和 WS2A 是相互关联的,单元格中的数据通常可以从 WS1A 向 WS2A 自动转换(WS2A 中的灰色行就是自动转换的数据)。

1. 行 9～行 11

行 9 表示环境保护的产出。附属性环境保护服务❷ (行 11)与外部的环境保护服务❸ (行 10)不同。

2. 行 13,行 15～行 90

中间消耗/最终使用(行 13)包括环境产品和产业对于提取产品的使用。环境产品(行 16～行 74)按照环境保护活动的分类标准确定 55。正如前面工作表配置部分说明的,可以通过设置来确定 CEPA 的分解。总 EP 供给 = 总 EP 的使用恒成立(下面的警告 1 有更详细的解释)。

3. 行 77～行 90

行 77～行 90 包含一些与林业产品。鱼类和矿物消费有联系的中间消耗,这些行供用户登记那些用于产业中间消耗的产品。林业产品登记在行 78～行 81,鱼类在行 83～行 85,矿物在行 88～行 90。请注意只有这些产品的总价值出现在 WS9(集成环境经济账户表)中。

4. 行 96～行 119

同 WS1A 中一样,对每一个产业,净增加值(行 96)能被进一步分解成劳动者报酬(行 98)、营业盈余(行 99)、税收(行 100)和补贴(行 110)。

同时展示了环境收费(行 101)和补贴(行 111)。这些项可以依据特定的目的和环境收费及补贴的数量大小进一步地分类。

5. 一致性检验

WS2A 包含两类一致性检验。

如果环境保护的供给和使用没有一致将出现警告 1:

总的环境保护产品(列 CL,行 9) = 环境产品的中间消耗(列 CL,行 74) + 环境产品的最终利用(列 CR,行 74; + 列 CT,行 74) + 出口(列 CP,行 74) + 总资本形成(列 CV,行 74) - 进口(列 CN,行 74)。

---

❶ 环境保护支出是各产业、家庭,以及政府和非政府组织为防止环境退化,或减少由于退化造成的部分和全部影响的支出。

❷ 附属性活动包括企业为向其他产业提供初级、次级产品而生产的商品和服务;这包括环境清洁或保护设备的维护活动。

❸ 环境保护产出包括企业的初级产品、次级产品,换句话说,是向其他企业提供的环境服务产品(商品和服务)。

实际上，环境保护的供给使用通常并不平衡。

如果下面的各 ISIC 分类产业不满足下式将出现警告 2：

环境保护的服务（行 9）= 环境保护的销售（行 10）+ 环境保护的内部使用（行 11）

例如，如果不满足下面的等式，将出现对话框 Warming (col.Q)：(1)：

（列 Q，行 9）=（列 Q，行 10）+（列 Q，行 11）

（四）编制制造资产账户

WS3A 中的制造资产是那些以生产过程中的产品形式存在的资产。非金融资产(CNFA)划分制造和非制造资产。制造资产进一步划分为人造资产和开发的自然增长资产，WS3A 重新命名栽培的自然增长资产和人造资产为栽培资产和其他资产来强调对环境账户中的自然资产的关注。在工作表中括号内给出了每一个分类资产变化的 SNA 编码。

利用年份属性的工作表设置，可以选择列标题：数字 1、数字 2、自定义（详见有关年份属性的帮助信息）。

列 L 是固定的，由生产资产的总价值构成。

1. 行 7 和行 23

制造资产的期初存量（行 7）和期末存量（行 23）应当采用核算期初和期末的购买价格进行估值。

2. 行 8～行 13

自然制造资产的总资本形成（行 8）是所有成熟或不成熟的动物、树、牲畜和水生鱼的获得物总价值减处置价值。总资本形成包括有形固定资产的获得减处置（行 10）、存货的变化（行 11）、有价值资产的获得减处置（行 12），未分配的是一个残余项可以自动计算，对于每一列，下面的关系式应该成立：

总资本形成 = 固定资产的获得减处置 + 存货的变化 + 有价值的资产获得减处置 + 未分配的

3. 行 14

固定资产的消耗是指由于用于生产过程的固定资产（即树、动物等）价值的减少（物理的损耗和常规事件造成的损失）。固定资产的消费总是有一个负号。

4. 行 15～行 21

其他量的变化（行 15）是由自然灾害和其他的非经济因素引起的自然资产的减少。包括制造资产的经济发现（行 16）、自然灾害（行 17）、未补偿的捕获量（行 18）和非金融资产的其他量变化（行 19）、分类和结构的变化（行 20）。未分配的残余项，可以自动计算得到，在每一列下面的恒等式成立：

其他量的变化 = 制造资产的经济显露 + 灾害损失 + 未补偿的捕获 + 非金融资产的其他量的变化 + 分类和其他结构的变化 + 没有分配的

5. 行 22

重估值是作为残余项自动计算得出：

重估值 = 期末存量 − 期初存量 − 总资本形成 + 固定资产的消耗 − 其他量的变化

(五)编制自然资源实物账户

WS4A 以实物量单位记录核算期内非制造资产的存量和存量变化。列标题分为 5 类,即土地、土壤、地下资产、非栽培的生物资源和水资源。每一类可以进一步分解成不同的子类(行 2),每一个子类又可以分成不同的项(行 3),行 3 包括一些特定资产的自由单元格。金属矿物(列 N～列 R),非金属矿物(列 S～列 W),林业资源(列 X～列 AB),渔业资源(海产)(列 AC～列 AG),渔业资源(淡水)(列 AH～列 AL),其他生物(列 AM～列 AQ)。这些引入项自动换算到 WS5A 和 WS5B,因此 WS4A、WS5A 和 WS5B 总是有同样的列标题。

1. 行 8 和行 22

非制造经济资产的期初存量(行 8)和期末存量(行 22)代表在核算期初和期末经济上可开发利用的资源储备或存量。

2. 行 9 和行 10

可持续的利用(行 9)和枯竭(行 10)被分别确定。它们代表资产的直接经济利用/开发,包括矿物的提取、采伐,鱼类捕捞,水的提取等引起的资产数量变化,是实施环境成本核算的前期准备。

可持续的利用(行 9)指并不削弱该资产长期提供经济产品的能力。枯竭(行 10)指超过了自然再生和更新能力的开发造成的资源减少。可持续的利用在土地资源中(列 E～列 I)并不出现,是因为并不存在由经济利用所造成的可量化的土地损失。一个国家或地区的土地面积变化只可能由战争、政治决策或自然灾害所引起,记录在其他量的变化项。由经济利用引起的地下资产的损失将被记录在行 9 和行 10。

3. 行 11～行 15

其他的积累(行 11)指由于经济决策和投资所引起的变化。在 SEEA 中,它仍被在生产和收入账户外确定,因此并不影响增加值和收入。它包括非制造资产的经济显露(如地下资产的发现)(行 12),非开发生物资产的自然增长(行 13)和分类及结构的变化(行 14)。未分配的(行 15)代表一个残余项能自动地计算得出。应满足下面的等式:

其他的积累 = 非生产资产的经济显露 + 非栽培生物资产的自然增长 + 分类及结构的改变 + 未分配的

这些子类的数据将根据它们引起资产增加或减少来确定其正负。

4. 行 16～行 21

其他量的变化(行 16)指由于非经济原因(政治或自然事件/灾害)所引起的变化。包括非制造资产的经济消失(行 17)、灾害损失(行 18)、捕捞量的变化(行 19)及其他非金融资产的变化(行 20)。未分配项(行 21)代表一个可自动计算的残余项。应满足下面的恒等式:

其他量的变化 = 非制造资产的经济消失 + 灾害损失 + 捕捞量的变化 + 非金融资产的其他变化 + 未分配的

5. 行 24～行 31

由于环境质量的变化是环境成本的相关方面,所以很难融入实物量资产账户,它们在表的底部显示。行 26～行 31 是专门为特定合适的指标预留的,可在黄色区域输入它们的名字、单位和值(列 E～列 AT)。

6. 一致性检验

WS4A 包括一个一致性检验。

当列 E～列 I 不满足下列恒等式的时候出现警告 1：

期末存量(行 22)＝期初存量(行 8)＋其他的积累(行 11)＋其他量的变化(行 16)

例如，如果不满足下面的等式，将出现对话框 Warming (col. I)：(1)：

(列 I，行 22)＝(列 I，行 8)＋(列 I，行 11)＋(列 I，行 16)

当列 K～列 AT 不满足下面的等式时，出现警告 1：

期末存量(行 22)＝期初存量(行 8)＋可持续利用(行 9)＋枯竭(行 10)＋其他的积累(行 11)＋其他量的变化(行 16)

(六)编制非制造经济资产的市场估值

为了打开 WS5A 和 WS5B，需要至少指定一种情景，将它的名字输入对话框中然后选择添加(ADD)按钮。每一种情景都暗指对非制造经济资产的一种具体估值方法(见帮助中对工作表窗口的进一步解释)。

WS5A 显示了按照选择的情景得到的非制造经济资产的单位价值。

列标题和 WS4A 的一样，行标题栏分为两块区域，都是黄颜色的，顶部的区域是用于计算资产价值的工作空间。在顶部区域的行(最多 20 行，行 8～行 27)可以用工作表配置选项进行选择。底部区域显示从顶部区域得到的价值，用于推导货币账户。

1. 行 8～行 27

这些行用于按照选择的方法估计资产的价值。行标题栏可以根据选择的方法进行确定(如对于计算净价格，行标题栏可以是市场价格，资源的成本和净价格)。在列 E～列 AT，可以利用单元格来插入数字和公式。

2. 行 29～行 31

行 29～行 31 显示在核算期初(行 29)和核算期末(行 30)的价值和核算期的平均价值(行 31)。这些值将用于 WS5B 中计算核算期初和期末的存量价值及期间的变化。

WS5B 记录存量和变化的价值。该工作表是由单位价值即市场价格和估计的(应负)市场价值(WS5A)和 WS4A 中的实物存量和存量的变化得到。

WS5B 和 WS4A 及 WS5A 使用同样的列标题栏(自然资源的不同分类)。

修改行标题栏内容以便引入那些与价值型账户相关的项目(行 7～行 11，行 26)。WS5B 与 WS5A 中有相同行标题的各行的值，可以通过 WS4A 中的实物量与 WS5A 中的金钱值乘积自动计算得到。值得注意的是，核算期初和期末的价值分别使用期初和期末的估价计算，而价值的变化量使用核算期的平均估价计算。

注意：在一些单元格标记着 n.a.(无法应用)。

3. 行 6 和行 27

核算期初存量的价值(行 6)和期末存量的价值(行 27)是通过表 4A 中的行 8、行 22 及表 5A 中行 29 和行 30 自动相乘得到的。

4. 行 7～行 11

正如 1993 年的 SNA 中讨论的，总固定资本的形成和非制造固定资产的消耗仅记录了土地的改良。对其余的非制造环境资产，新资产的产品及伴随的消耗无法精确地记录，因此用 n.a.标识。

总固定资本形成(行 7)定义为与土地改良相关的所有支出，包括重新开垦土地、林业用地的出清、湿地的抽干及预防洪水和侵蚀。它包括：非制造非金融资产的价值增加(P.513)(行 8)，其进一步可划分为非制造非金融资产的主要改良(行 9)和非制造非金融资产的所有权转移成本(行 10)。总的价值被记录在行 8。

资产消耗(行 11)是在核算期内由于土地改良所需要的制造资产的折旧导致的土地改良价值的下降。

总固定资本形成和固定资本消耗都采用了价值型账户，但是并没有出现在 WS4A 中。

5. 行 12～行 13

可持续的利用(行 12)和枯竭(行 13)是用 WS4A 中的行 9 和行 10(实物单位)乘核算期的平均估价得到(WS5A 中的行 31)。

6. 行 14～行 19

其他积累的价值(行 14)不仅包括 WS4A 中已经出现的项，还包括非制造资产的收获减处置(行 15)。这项同资产交易相关，但并不影响资产的形成、增加值和收入的产生，而且仅与土地和地下资产有关。对于其他的资产，收获减处置是很难测量的，并且可能不发生或影响甚小。

行 15 包括非制造资产的收获减处置，就总固定资本形成来讲，仅以货币的形式出现。

其他积累的其他项(行 16～行 19)是通过 WS4A 中的实物单位(行 12～行 15)乘核算期内的平均价值(WS5A 中行 31)得到，通过将行 15～行 19 的数值自动相加得到总的其他积累(行 14)。

7. 行 20～行 25

其他量的变化(行 20～行 24)与 WS4A 包括同样的行。因此所有行的数据通过将 WS4A 中的实物量(行 16～行 21)与核算期内的平均估价(WS5A，行 31)相乘得到。

8. 行 26

重估值是作为一个残余项自动计算的，应满足下面的等式：

重估值 = 期末存量 − 期初存量 − 总资本形成 + 固定资产的消耗 + 可持续的利用 + 枯竭 − 其他的积累 − 其他量的变化

固定资产的消费、可持续的利用和枯竭总是有一个负号。

9. 一致性检验

当列 E～列 I 不满足下面的等式时出现警告 1：

非制造非金融资产的增加(行 8) = 对非制造非金融资产的主要改良(行 9) + 非制造非金融资产所有权转换的成本(行 10)

例如，如果不满足下面的等式，将出现对话框 Warning (col.I)：(1)：

(列 I，行 8) = (列 I，行 9) + (列 I，行 10)

WS5C 表明了经济活动所引起的枯竭，列标题栏是非制造经济资产(包括土壤、地下资产、林业、渔业、其他生物、水)。行标题栏和 WS1A 同样表明了按工作表配置选项所选择的 ISIC 活动。

(七)编制非制造环境资产的实物账户

WS6A 显示了环境资产的实物账户。非制造环境资产是指那些没有所有权归属的,而且并不能从使用中得到直接经济价值(收入)的环境资产。

列的数目可以通过"工作表设置"选择定义,可以自己填写列标题栏。

同 WS4A 中一样,行分成两个不同的区域:一个记录存量及其变化(行 8~行 25),另一个记录质量的变化(行 27~行 34)。

行 8~行 25 显示核算期内环境资产的存量和存量的变化,行 12~行 17 与其他量的变化相关,用户可自己命名。

(八)编制经济部门的排放账户

WS7A 包含实物单位的排放数据,包括污染物排放量、排污部门。

列标题栏分成三组,来区分国内的排放和区域内与区域外之间的污染排放。区域内的排污部门(列 D~列 CK)和 WS1A 中所选择的部门一样,它们也同样采用货币账户的形式表示。

对来自余下的世界的污染(列 CL~列 FT)和排到余下的世界的污染(列 FW~列 JC)应负责任的部门包含 1 类产业分类部门的活动。由于对它们的流量估值是有争议的,仅呈现了实物数据。

行 6~行 28 的行标题栏分成水(行 6)、空气(行 17)、土地/土壤(行 27)三组。每种资产下的各行指明了污染物,行的数目可以使用工作表配置选项设定。

插入的行标题栏将自动转移到 WS8A 和 WS8B。

图标 ab 和 12 分别表示在各单元格内可以字母和数字。举例来说,在单元格 Do,是可以通过点击 ab 来插入排放量及其测量单位。

编制 WS8A 和 WS8B,同样需要指定估值情景后才能进行。

(九)编制经济部门单位排放维护成本

除跨边界的流量外,WS8A 显示了 WS7A 中指定的净排放的单位环境成本。

行标题栏和列标题栏与 WS7A 中的一样。"M"按钮可以为每一单元格打开一个计算单位维护成本的窗口。

单元格 B1 包含选择的单位维护成本计算方法的名称,单元格 F3 是计算得到的单位维护成本。

行 4~行 21 用于计算单位维护成本。同 WS7A 中一样,点击图标 ab 和 12 来配置各单元格的文本或数字。单元格中可以插入公式和数字。

WS8B 显示了 WS7A 中净排放的总环境成本,是通过 WS7A 中的实物量数据乘以 WS8A 中的单位维护成本得到。

(十)编制集成环境经济整合账户

在开始编制 WS10A、WS10B、WS10C 之前,需要选择一种具体的情景(也就是选择一种具体的估值方法)。

WS9 是基于前面完成的工作表的一个汇总表,显示扩展的供给和使用表及资产账户。生产账户已经包括枯竭和退化的环境成本,因此允许计算环境调整的综合指标(如

EVA 和 EDP)。

WS9 中的数值是从前面所有价值型账户表自动转化而来。

列标题栏分成供给和使用表(列 G~列 CV)、制造资产(列 CX)、自然经济资产(列 CZ~列 DF)和环境资产(列 DH~列 DJ)4 组。行标题栏显示供给－使用和资产账户的所有条目。

1. 供给和使用表(列 G~列 CV)

供给和使用表与 WS1A 一样呈现了所选择的 ISIC 分类活动。

包含在行 10、行 16、行 27、行 44、行 46、行 47、行 48、行 49、行 51 中的值是从 WS1A 中转化而来的。WS9 和 WS1A 之间的联系如表 1 所示。

表 1 WS9 和 WS1A 之间的联系

WS1A	行 8	行 13	行 15	行 14	行 16	行 17	行 18	行 19	行 20
WS9	行 10	行 16	行 27	行 44	行 46	行 47	行 48	行 49	行 51

包含在行 11、行 12、行 13、行 18、行 19、行 20、行 21、行 23、行 24、行 25、行 50、行 52 的数值从 WS2A 中转化而来,WS2A 与 WS9 之间的联系如表 2 所示。

表 2 WS2A 与 WS9 之间的联系

WS2A	行 9	行 10	行 11	行 16 + 行 41	行 21	行 28 + 行 35 + 行 47	行 55 + 行 59 + 行 68	行 77 + 行 78 + 行 79 + 行 80	行 82 + 行 83 + 行 84 + 行 85 + 行 86	行 87 + 行 88 + 行 89 + 行 90	行 101	行 111
WS9	行 11	行 12	行 13	行 18	行 19	行 20	行 21	行 23	行 24	行 25	行 50	行 52

包含在行 31、行 32、行 33 的值是从 WS8B 中转化而来,WS8B 与 WS9 之间的联系如表 3 所示。

表 3 WS8B 与 WS9 之间的联系

WS8B	行 9 + 行 10 + … + 行 16	行 18 + 行 19 + … + 行 26	行 28 + 行 29 + … + 行 36
WS9	行 31	行 32	行 33

包含在行 35、行 36、行 37、行 38、行 39、行 40 中的值是从 WS5C 中转化而来,WS5C 与 WS9 之间的联系如表 4 所示。

表 4 WS5C 与 WS9 之间的联系

WS5C	列 E	列 F	列 G	列 H	列 I	列 J
WS9	35	36	37	38	39	40

在行 34 和行 41 的每一列,小计代表总的退化(排放)(行 34)和枯竭(行 41)成本。

行 42 中,家庭和 NPISHs 的消费活动所引起的枯竭和退化(排放)成本转移到生产账户和其他(列 CM)。按这种方式,最终消费引起的污染被作为家庭负生产活动处理。

行 54 中,ISIC 标准划分的产业的环境调整的增加值(EVA)通过从净增加值中减去总的退化(排放)(行 34)和枯竭(行 41)成本得到。其他的 EVA(列 CM)和总的 EVA(列 CN)是通过扣减家庭消费活动(转移)所引起的退化(排放成本)得到的。

EVA 是按如下方式计算的:

(1)列 G~列 CK

EVA=NVA(行 46)-小计的退化(排放)(行 34)-小计的枯竭(行 41)。

(2)列 CM~列 CN

EVA=NVA(行 46)-小计的退化(排放)(行 34)-小计的枯竭(行 41)-转移(行 42)。

2. 制造资产(列 CX)

该列为制造资产账户。

所有的价值都是从 WS2A 和 WS3A 中转入的。

包含在行 7、行 16、行 27、行 58、行 60、行 62 中的值是从 WS3A 中的列 L 中转化而来,WS3A 与 WS9 之间的联系如表 5 所示。

表 5　WS3A 与 WS9 之间的联系

WS3A	行 7	行 8	行 14	行 15	行 22	行 23
WS9	行 7	行 16	行 27	行 58	行 60	行 62

包含在行 18、行 19、行 21 中的值是从 WS2A 中列 CV 转化而来,WS2A 与 WS9 之间的联系如表 6 所示。

表 6　WS2A 与 WS9 之间的联系

WS2A	行 16+行 41	行 21	行 55+行 59+行 68
WS9	行 18	行 19	行 21

3. 自然经济资产(列 CZ~列 DF),环境资产(列 DH~列 DJ)

点击图标“?”可以获得关于这些单元格的内容解释。

(十一)汇总表

1. 编制和比较传统的和环境调整的综合指标

WS10A 显示了从前面的所有表中重新计算的传统的和环境调整的综合指标的比较。

列标题栏呈现了和 WS9 一样的 ISIC 分类的产业部门(列 F~列 CK)值,列 D 显示了总价值。

行标题栏呈现了传统的和环境调整的综合指标和详细解释。其他的行仅在列 D 中有值,在行 9~行 19 中的是比例值。

行 6 中,NDP 从 WS9 中的行 46 换算得出。

行 7 中,EDPI(以市场价格计算的环境调整的净国内产出)是从 NDP 中扣减枯竭成本,即从 WS9 中行 46 减去行 41 得到。

行8中,EDPⅡ(以维护成本计算的环境调整的净国内产出)是从NDP中扣减枯竭和退化(排放)成本,结果等于EDP(WS9中的行54)。

行9中,(NDP－EDPⅡ)/NDP从WS10A中的行6和行8的值计算。

行10中,(NDP－EDPⅠ)/NDP从WS10A中的行6和行7的值计算。

行11中,C(最终消费)代表家庭、政府和NPISHs最终消费,等于WS9中CT16＋CV16,NDP是WS10A中的单元格D6。

行12中,C(最终消费)代表家庭、政府和NPISHs最终消费,等于WS9中CT16＋CV16,EDPⅡ是WS10A中的单元格Do。

行13中,NCF(净资本形成)是从总资本形成(WS9中的单元格CX16＋CZ16)减固定资产的消耗(WS9中的单元格CX27＋CZ27)。

行14中,ECF(环境调整的资本形成)是从净资本形成中扣减产业总枯竭和退化成本(单元格CN34＋CN41),家庭和NPISHs的耗减和退化成本(CV34)。

行15中,NDP是WS10A中的单元格D6,CAP(制造资产存量)是制造资产的期初存量(WS9中的单元格CX7)。

行16中,EDPI是WS10A中的单元格C7;CAPI(包括经济自然资产的期初资本存量)是核算期初的制造资产(WS9中的单元格CX7)和自然经济资产的存量(单元格CZ7、DB7、DC7、DD7、DE7、DF7)的和。

行17中,CAP(制造资产存量)是制造资产的期初存量(WS9中的单元格CX7);CAPI(包括经济自然资产的资本存量)是核算期初的制造资产(WS9中的单元格CX7)和自然经济资产的期初存量(单元格CZ7、DB7、DC7、DD7、DE7、DF7)的和。

行18中,ICEP(环境保护的中间消耗)通过加总WS9中的单元格(CN18、CN19、CN20、CN21)得到;GDP(国内生产总值)从WS9中的行44得到。

行19中,GCFEP(环境保护的总资本形成)通过加总制造资产的资本支出(单元格CX18＋CX19＋CX21)和自然经济资产(单元格CZ20)得到;GDP(国内生产总值)从WS9中的单元格CN44得到。

行20～行23中,空白是让用户填写他们自己选择的指标。注意在这些单元格中没有公式可以应用。

2.编制传统的和环境调整的综合指标的比例分配

WS10B呈现了传统的和环境调整的综合指标的比例分解。WS10B左手边的比例数据显示NDP的分解(列A～列C),右手边的数据显示EDPⅡ的分解(列O～列Q)。通过详细说明与自然资产相关经济交换活动,在列E～列M中解释了NDP与EDP之间的差异。

WS10B中的这些数值是对WS9中数据的详细描述。每一个值都自动计算为对NDP(列C～列Q)和EDP(列O)的比值。

1)行13～行15

环境收费减补贴(行13),环境保护产品的中间消耗和使用(行14),产业使用的自然资产(行15)都作为所属NDP(列C～列Q)和EDP(列O)的构成。

行13中的数值是环境收费总和(WS9中单元格50CN)减补贴(WS9中单元格

52CN)与 NDP(WS9 中单元格 46CN,列 C)和 EDP(WS9 中单元格 54CN,列 O)的比例。

行 14 中的数值是环境保护产品的中间消耗和利用(WS9 中列 CN 的行 18～行 21)与 NDP(WS9 中单元格 46CN,列 C)和 EDP(WS9 中单元格 54CN,列 O)的比值。列 K～列 M 中的数值是根据影响的介质(土地/土壤(列 K)、空气(列 L),水(列 M)),计算的环境保护产品的中间消耗和使用与 NDP 的比例。这些数值从 WS9 中转化而来,土地/土壤单元格 20CN,空气单元格 18CN,水单元格 19CN。

行 15 中,数值是通过用各产业使用的自然资产数量(WS9 中单元格 CN34 + CN41)除 NDP(WS9 中单元格 46CN,列 C)和 EDP(WS9 中单元格 54CN,列 O)。列 E～列 M 中的数值代表各产业利用的自然资产占 NDP 的份额(林业,列 F;渔业,列 F;矿业,列 G;水,列 H;其他生物,列 I)和它们影响的中间介质(土地/土壤,列 K)、空气(列 L)和水(列 M)。这些数值是从 WS9 转化而来,具体如下:林业的枯竭,单元格 CN37;渔业,单元格 CN38;矿产,单元格 CN36;水,单元格 CN40;其他生物,单元格 CN39;土地/土壤的退化(排放),单元格 20CN;空气,单元格,18CN;水,单元格 19CN。

2)行 17～行 20

行 17 中的数据通过利用家庭和政府的最终消费(WS9 中的单元格 CT16 + CV16)除 NDP(WS9 中单元格 46CN,列 C)和 EDP(WS9 中单元格 54CN,列 O)得到。在家庭和政府的最终消费项,确定了两种所属元素:环境保护产品的最终消费(行 19)和自然资源的使用(行 20)。

行 19 中的值是通过用家庭和政府总的环境保护产品的最终消费(WS9 中列 CT 和 CV 的行 18～行 21)除以 NDP(WS9 中单元格 46CN,列 C)和 EDP(WS9 中单元格 54CN,列 O)得到。列 K～列 M 中的值代表它们对于介质的影响份额(这些值是从 WS9 中得到,土地/土壤,CV20 + CT20;空气,CT18 + CV18;水,CT19 + CV19)。

行 20 中的值是通过用家庭和政府总的退化(排放)(WS9 中 34CV)除以 NDP(WS9 中单元格 46CN,列 C)和 EDP(WS9 中单元格 54CN,列 O)得到。列 K～列 M 中的值代表它们影响介质的份额(这些值是从 WS9 中得到,土地/土壤,CV33;空气,CV31;水,CT32)。

3)行 22～行 24

行 22 中的数值是用总净资本形成(WS9 中的单元格 CX16 + CZ16 + CX27 + CZ27)除以 NDP(WS9 中单元格 46CN,列 C)和 EDP(WS9 中单元格 54CN,列 O)得到。其中行 24 是指环境保护设施的总固定资本形成,行 23 的值用环境保护的固定资本形成(WS9 中的 CX18 + CX19 + CZ20 + CX21)除 NDP(WS9 中单元格 46CN,列 C)和 EDP(WS9 中单元格 54CN,列 O)得到。列 K～列 M 中的值代表它们影响介质的份额(这些值是从 WS9 中得到,土地/土壤,CZ20;空气,CX18;水,CX19)。

4)行 26

行 26 中的数值是用出口(WS9 中的单元格 CR16)除以 NDP(WS9 中单元格 46CN,列 C)和 EDP(WS9 中单元格 54CN,列 O)得到。

5)行 27～行 29

行 27 中的数值是用出口(WS9 中的单元格 CP16)除以 NDP(WS9 中单元格 46CN,

列C)和EDP(WS9中单元格54CN,列O)得到。

行28中数值是由如下的比例关系得到,环境保护的进口(WS9中CP18+CP19+CP20+CP21)与NDP(WS9中单元格46CN,列C)和EDP(WS9中单元格54CN,列O)的比例。

行29中数值是由如下的比例关系得到,即自然资源进口的总数量(WS9中CP23+CP24+CP25)与NDP(WS9中单元格46CN,列C)和EDP(WS9中单元格54CN,列O)的比例。

列K~列M中的数值是进口的自然资源占自然资产的比例份额。这些数值从WS9中转化而来,林业,单元格CP23,渔业,单元格CP24,矿物,单元格CP25。

3. 编制产业对传统的和环境调整的综合指标的贡献

WS10C扩展了WS10B的内容以便可以对产业部门进行较为详细的分析,其中的灰色单元格代表这些数据是自动计算得到。

列A显示和WS9同样的产业分类(按ISIC标准)。

列E显示各产业对NDP的贡献份额,是用各产业的NVA(WS9中行46)与NDP(WS9中单元格46CN,列C)相除得到。

列G~列J展示经济活动对自然资产的影响和按照环境保护支出计算的对这些影响的经济反映。这些数据都用各产业净增加值的比例表示。列G中的数据用WS9中的行18~行20的数据重新计算。列H中的数字从WS9中的行50、行52的数字重新计算得到。列I中的数字包含总的产业。能从WS9中列CX、列CZ的行18~行21得到。列J中的数字通过对枯竭(行21)和退化(行31~行34)的数据重新计算得到。

列K显示各产业的EVA/NVA。用EVA(WS9中的行54)除以NVA(WS9中行46)得到。

列M显示各产业的EDP贡献比例。用各产业的EVA(WS9中的产业54)除EDP(WS9中的单元格CN54)得到。

(十二)编制环境质量指标

WS11包含环境质量指标。行标题栏与CEPA的分类相对应,每一项行的数量通过工作表设置进行指定。列C和列D是用户插入的与行标题栏相对应的质量指标及测量单位。列E包含所选择指标的值。

词汇表

许可权(Access rights):通过法律或权力机构授予使用者开发资源的权利。许可权可通过付费或免费获得。

空气污染(Air pollution):由人类活动或自然过程产生的存在于大气中的物质,在环境中这些物质达到一定的浓度及维持足够长的时间会影响人们或环境的舒适、健康或福利。

可捕量(Allowable catch):在规定的时期内允许水产公司从一个群体中提取的捕获量。通常在对该群体有许可权的人间明确地进行了分配,参见*配额*。

附属性活动(Ancillary activity):为支持企业主要和次要的活动创造条件,企业内部承担的支持性活动。参见*环境保护成本的外部化*。

水产养殖业(Aquaculture):指养殖水生生物体,包括鱼类、软体动物、甲壳类动物和水生植物。养殖意味着养殖过程中要有一定的人类干预,如定期的放鱼、喂食、防止捕食者捕食等措施来提高产量。养殖意味着个人或集体对培育的存量拥有所有权。为了统计的目的,在水生生物体的养殖期内,对他们拥有所有权的个人或公司收获的水生生物体归于水产养殖业,而公众作为公共资源开发的水生生物体,无论是否持有符合要求的许可证,都归于渔业。参见*制造自然资产和经济资产*。

避免成本(Avoidance cost):采用替代的生产和消费过程、减少或克制那些对环境有影响的经济活动来预防环境恶化,引起的实际的或应负的成本。参见*维护成本*。

生物多样性(Biodiversity):给定区域内的基因、物种及生态系统差异的范围。

生物量(Biomass):特定的区域或栖息地上存活的生物体的总重量(通常指干重)。

生物区(Biome):由气候、地质、土壤类型、水资源及纬度等因素间复杂的相互作用决定的生态区域。

建筑及相关的土地(Built - up and related land):指房屋、公路、矿山、采石场及其他的设施占用的土地,还包括人类从事活动慎重安装辅助设施占用的空间,也包括一些与人为活动紧密相关的某些类型的开阔地(没有建筑物),如垃圾堆放场、建筑区内的废弃地、废物堆放场和城市的公园和花园。不包括零星的农场建筑、院子及其附属建筑占用的土地。

捕捞附带品(By - catch):在捕捞过程中捕获的其他种类或同一种类但大小不合要求。对捕捞附带品中没有商业价值那部分,通常是已经死了的或是将死的,将被丢弃或放回大海。

资本积累(环境核算)(Capital accumulation)(Environmental accounting):环境调整的资本形成概念,用以说明自然资本的增减。该概念也包括自然资源的发现或转换(从环境系统转入经济系统)及灾害和自然增长的影响。

资本消耗(Capital consumption):在 1993 SNA(para.6.179)中将固定资产的消费分类为生产的成本,并定义为在核算期内,因物理磨损、正常报废或正常事故损伤引起的生产者占有和使用的固定资产存量现在的价值减少。不包含计入资产账户"其他量的变化"中的因战争或自然灾害造成的损伤。SEEA 扩展了资本消耗的概念,围绕自然资本引入了枯竭和退化成本,也就是应负环境成本。

承载力(Carrying capacity):指特定的栖息地或地区在年内最不利时期内能够维持一种或是多种动物的最大数量。因特定的食物、庇护所和社会需求不同、与其他有着类似需求的种类间的竞争不同,栖息地内不同物种的承载力存在差异。参见*生态足迹* 。

群组(Cohort):同一产卵季节内同时繁殖的鱼群中的一组鱼。在寒冷和温暖的地方,鱼的存活期较长,相应的群组经常以一年来分类。而在热带,鱼的生存期较短,相应的其群组分类对应的时间间隔也短(如春季群组、秋季群组、月群组)。

单位作业捕获量(Catch per unit of effort ,CPUE):指在给定渔船和捕鱼设备的类型和数量、渔民的数量时,测量的捕捞上来的鱼量。CPUE 会随水中鱼的数量(鱼群的大小)、渔船的拥挤程度和其他因素的变化而变化。这是估计鱼群大小和单位捕捞成本的一个重要指标。

条件估值(Contingent valuation):在环境核算的成本 - 效益分析和损害估值中使用的估值方法。条件估值方法是有条件的因为模拟的是假想的市场,这反映在为了取得潜在的环境收益或避免环境损失的支付意愿中。

成本效益分析(Cost - benefit analysis):在项目选取时评价建议项目直接的经济、社会成本和收益。成本 - 效益比是用项目的收益除其成本得到的比值。

成本内生化(Cost internalization): 利用经济手段,包括财政及其他的激励措施,将负的外部性(特别是环境枯竭和退化)归并到家庭和企业的预算中。

栽培自然资产(Cultivated natural assets):包括饲养的牲畜、奶制品、鱼等,还有在社会事业机构直接控制、管理下能够重复进行生产(产品在 SNA 的生产边界)的葡萄园、果园及其他的种植园内的树。参见*非制造自然资产* 。

防御性支出(Defensive expenditures):指减轻或避免生产和消费的一般增长过程的外部成本所发生的支出。环境的防御性成本指为防止和抵消环境质量的下降、补偿或是修复因环境恶化引起的负面影响(对人类健康和福利的损害,及对身体系统的其他损害)所发生的支出。从国内生产净值(NDP)中减去防御性支出可以作为一种测量环境调整的经济福利的指标,但在 SEEA 中没有推荐采用这种方法。

采伐森林(Deforestation):出清树,取而代之的是非森林土地利用。

环境资产的退化(Degradation of Environmental asset):指因周围污染物集中和其他的活动或过程(如不恰当的土地利用、自然灾害)引起的环境质量恶化,也就是超过了环境介质的安全吸收或再生能力。见*空气污染* 。

自然资源枯竭(Depletion of natural resources):对于可更新资源,收获量、采伐量、捕捞量等超过了资源可持续利用的状态;对于不可更新资源(矿产储量),指提取的资源数量。在 SNA 中,其定义为地下资产、天然森林、公海内的鱼群及其他非栽培生物资源的存量因物理迁移和使用殆尽引起的价值减少。

贴现率(Discount rate): 在采用净现值方法估值自然资产时贴现未来收入采用的比率。贴现率反映了经济机构对今天的收入而不是未来收入的偏好程度。这种时间偏好取决于所讨论的机构。一般来说,个人和企业比政府的时间偏好要高。除了时间偏好外,贴现率还反映了与投资的未来期望利润相伴的风险。

生态足迹(Ecological footprint):指维持特定人口当前的生活方式或消费模式对地球上的土地(水)面积或特定面积的需求。它与区域承载力的含义正好相反。

经济资产(Economic assets):记录在传统的国民账户资产负债表中的资产,指社会事业机构(个人或集体)拥有所有权的实体,在一定的时期内持有或使用他们的所有人可得到一定的经济收益。

经济自然资产可以是制造资产,如农作物产品;也可以是非制造资产,如土地、矿床或荒野中的森林等。在SEEA中经济非制造自然资产的定义更为广泛,包含为了经济的目的当前正在开发或者可能开发的自然资源,即使对这些资源当前还没有明确赋予所有权或施加控制(例如,海洋中的鱼类,热带森林中商业开发的木材)。参见*栽培自然资产,非制造自然资产,环境资产*。

经济措施(Economic instruments):指将环境成本和收益归并到家庭和企业预算中所采用的财政、其他经济激励和抑制措施。目的是通过全成本定价法,鼓励环境合理和有效的生产和消费。经济措施包括污水排放税、污染物和废物排放费、储存—返还系统及可交易的排污许可权等。参见*成本内生化,可交易排污许可权*。

生态系统(Ecosystem):各种生物体与其生活的环境相互作用共同形成的物质和能量循环系统。

排放物:(Emission):①由固定和移动的排放源向大气中直接排放的污染物;②在环境账户中,由社会事业机构向任何环境介质(土地、空气和水)中直接排放的残余物(污染物、废物)。

排放因子(系数)(Emission factor)(coefficient):指产生的废物总量与所加工的原材料总量的比例。也可用产生的污染物与生产过程产出的比例来表示。

排放标准(Emission standard):对单一排放源(固定的或移动的),法律所允许的最大污染物排放量。

终端处理技术(End - of - pipe technology):在生产过程中加入的设备(不是生产过程所需的部件),唯一的目的就是为了减少/中和与生产过程相关的废物/残余物。参见*环境保护支出中的使用*。

环境资产(Environment assets):非经济资产的所有自然资产。环境资产是非制造自然资产,它的功能不是为生产过程提供自然资源,而是提供废物吸收的环境服务、栖息地或洪水和气候控制等生态功能,及健康和美学价值等其他的非经济舒适度。

环境收费(Environmental charges):参见*环境税收*。

环境成本(Environmental cost):①环境保护的实际支出;②自然资产枯竭和退化的应负成本。在环境核算中,运用了各种各样的估值技术(包括市场估值方法、维护成本法和条件估值法等)来评价环境影响和效果。

环境损害成本(Environmental damage cost):是指直接环境影响(如排放的污染物)的间接影响产生的成本,如生态系统退化、对生产结构的损害和个人承受的健康影响。损害成本的估值方法包括条件估值方法和相关需求方估值方法。

环境负债(Environmental debt):指积累的过去自然资源枯竭和环境退化的影响,这些积累的影响将由后代来恢复。

环境支出(Environmental expenditures):用于环境保护的资本及当期支出。

环境的外部性(Environmental externalities):未得到补偿的生产和消费的环境影响,他们不仅影响消费者效用,而且影响其他经济机构的生产成本,但引起的机构没有承担责任。负的外部性的后果就是生产的私人成本低于社会成本。环境核算试图通过对排放物及环境质量的变化应用不同的估值方法,来评估环境的外部性。参见*环境成本内生化* 。

环境功能(Environmental function):指环境服务,包括提供空间、处理废物、供给自然资源及支持生命系统。

环境影响评价(Environmental impact assessment,EIA):对实施的工程、项目和政策可能的环境影响进行系统研究的分析过程。

环境影响(Environmental impact):社会经济活动和自然事件对环境组分(介质)的直接影响。参见*环境损害成本* 。

环境指标(Environmental indicator):指从提供环境状态信息(或描述环境状态)的参数中推导的参数(或值),其含义比任何给定参数值的直接含义要深。这个术语包括环境压力、状况和响应指标。

环境调整的国民收入(Environmentally adjusted national income, ENI):环境调整的国内净产出(EDP),加上要素收入及转移支付,减去国外的转入,加上国家利用的外部自然资产(其他国家或全球公共地)减去国家自然资产的外部利用。

环境调整的净资本形成(Environmentally adjusted net capital formation,ECF):①固定资产净资本形成和库存的变化减去枯竭和退化的应负环境成本;②另一个替代定义,有时候也称为净资本积累(NCA),包括自然资源的发现及其转换(从环境到经济)和自然资源的自然增长。负的ECF是一个表征经济表现和增长不可持续性的指标。

环境调整的国内生产净值(Environmentally adjusted net domestic product,EDP):是指从国内生产净值(NDP)中扣除自然资源枯竭及环境退化的成本得到的数值。生产部门对于(NDP)和(EDP)贡献分别定义为增加值(VA)和环境调整的增加值(EVA)。EDP Ⅰ解释了自然资源的枯竭,EDP Ⅱ同时解释了枯竭和环境退化。

环境合理的技术(Environmentally sound technologies):指能减少环境损害的方法和工艺,如利用产生很少潜在损害物质的过程和材料,在排放前精炼排放物,或循环利用生产过程产生的残余物。评价这些技术需要解释他们与应用环境的社会经济和文化条件之间的相互作用。

环境保护(Environmental protection):指所有通过防止污染物排放或减少环境介质中出现污染物质来维持和恢复环境介质(空气、水和土地)质量的活动。

环境服务(Environmental services):非自然制造资产(水、土地和空气(包括相关的生态系统)及其生物区)的定性功能。环境服务有三种基本类型:①处置服务,反映自然环境作为残余物吸收的功能;②生产服务,反映为生产和消费提供自然资源投入和空间的经济功能;③消费者或消费服务,提供满足人类生理、娱乐及相关的必需品。

环境税(Environmental taxes):以对环境有负面影响的一个具体的单位(或代理人)作为税基征收的一种税。

环境统计(Environment statistics):指描述环境的状态和趋势,涉及环境介质(空气/

气候、水、土地)，环境介质中的生物群和人类定居地的统计。广义的定义，包括环境指标、指数及核算。典型的是包含压力－响应框架，如联合国环境统计发展的框架区分了活动产生环境影响的数据、影响本身的数据、社会对影响及自然资源和生态系统库存的响应数据。

侵蚀(Erosion)：流水、降雨、风、冰或其他地质作用物磨损的土地，包括分离、挟带、悬浮、运输和大规模运移等过程。地质上，侵蚀定义为缓慢改变山坡形状的过程，包含岩石的风化和冲积物、崩积物形成的土壤层。人类与耕作、居住和产业发展相关的土地出清活动经常强化侵蚀。侵蚀具有如下的影响，增加径流、减少土壤的可耕层，在湖泊、泻湖和海洋中引起淤积。

专属经济区(Exclusive economic zone，EEZ)：与 1982 联合国海洋法公约的条款一致，有国家权限声明的区域(200 海里内)，在此区域内沿海国家有权勘探和开发有生命的和无生命的资源，并有责任对其进行保护和管理。

存在价值(Existence value)：知道特定的物种、栖息地或生态系统存在，并有继续存在下去的价值。存在价值与任何利用无关，评估者可能了解也可能不了解该资源。

外部性(Externalities)：参见*环境的外部性* 。

环境保护成本的外部化(Externalization of the Environmental protection cost)：将内部(附属)的环境保护活动(环境净化和物质的再利用)和其成本视为一种单独的生产活动，该生产活动按成本价格给开展环境保护活动的企业提供这些服务。按这种方式，企业的产出是增加的，但增加值不变。

鱼类捕捞量/卸载量(Fish catch/landing)：捕捞量和卸载量在用于说明捕捞上岸的鱼类数量时经常同义。有些情况，鱼类的捕捞量定义为从海中取出的量，与鱼类卸载量的差别在于海上丢弃的鱼类数量。

鱼类养殖(Fish farming)：见*水产养殖业* 。

捕鱼作业量(Fishing effort)：指捕鱼总量 (通常是单位时间内)，通常以渔场用船的天数、捕捉机或拖网的数量等来计量。捕鱼总量与具体的渔场和捕鱼设备有关。如果考虑多种捕鱼设备，捕鱼能力需要标准化，确保考虑捕鱼死亡率(生物学家的观点)或捕鱼成本(经济学家的观点)。

鱼群(Fish stock)：共生动物群或种群中的生物资源，在渔场可以从中捕获鱼。使用鱼群这个术语通常意味着特定的种群或多或少的与同种的其他鱼群相分离，因此自我支撑的。在特定的渔场，鱼群可以包括一种或多种鱼。

固定资产(Fixed assets)：在生产过程提供产出的有形或无形资产，他们可以重复利用或在其他超过一年的生产过程中连续的使用。

真实储蓄(Genuine saving)：世界银行创造的术语，储蓄(可支配收入减最终消费)减去应负环境(枯竭与退化)成本。负的真实储蓄是一个反映经济运行不可持续的指标。参见*环境调整净资本形成* 。

总资本形成(Gross capital formation)：对单位或部门，采用总的固定资本形成、库存的变化和物品的获得减处置来测量。它考虑了资本消费的价值。

资本总存量(Gross capital stock)：不考虑资产的使用年限，以同类型新资产的现价或估计价格确定的核算期初仍在使用的所有固定资产的价值。在 SEEA 中,资本存量定义为核算期初固定资产和非制造经济资产的价值。

持有收益(Holding gains):因资产价格的变化,在核算期内资产的所有者因占有的资产取得的收益。

霍特林租金(Hotelling rent):在长期均衡的市场条件下,自然资源出售所得到的净利润。其定义为获得的利润,减去资源勘探、开采和开发的成本,其中开发成本包括通常使用固定资产的成本。可用做自然资源枯竭的度量。参见*市场估值* 。

独立可转让配额(Individual transferable quota,ITQ):是一种在单个渔民或公司间分配允许捕捞总量(TAC)的管理工具。取得 ITQs 通常意味着获得了长期的、可交易(可转让)的捕鱼权。

独立可转让分配份额(Individual transferable share quota):是一种在单个渔民或公司间分配配额的一个固定份额的管理工具。取得 ITSQs 意味着取得了长期的、可交易(可转让)的捕鱼权。

社会事业机构(Institutional unit):SNA 的术语。依照自己的权利,可以拥有自己的资产,可以承担债务,从事经济活动并与其他的经济实体进行交易的经济实体。

环境成本内生化(Internalization Environmental cost):采用经济手段(环境补贴的财政激励和抑制、废水排放费、排污许可证交易或使用者费用)将环境的外部性(应负环境成本)归并到社会事业机构的预算中。环境成本核算可以设定这些内生化工具的最初标准。

土地退化(Land degradation):因自然过程、土地利用或其他的人类活动或居住模式的影响导致的雨饲农业用地、灌溉农业用地、放牧区、牧场、林业用地的生物/经济生产力及复杂性的减少/损失,表现形式有土地污染、土壤退化和植被覆盖层的破坏。

土地改良(Land improvement):在 SNA 中,非制造自然(经济)资产中唯一的影响总固定资本形成的条目。由与土地开垦、森林出清、湿地排干、洪水和侵蚀的预防等相关的购置(支出)。

维护成本计算(Maintenance costing):用于评定由经济机构引起的环境退化(有时是枯竭/破坏)成本的方法。维护成本的值取决于选择的最为有效的防止、恢复、替代或防护活动。定义为利用自然环境的成本,指为了使核算期内对环境的利用不影响未来对环境的利用所需承担的成本。

市场估值(Market valuation):①在国民账户中应用的市场价格估值; ②基于期望的市场利润,估算自然资源及其枯竭和退化的价值。在缺乏自然资产的市场价格时,可应用的估值方法有:①净现值法,计算自然资产利用的将来利润的净现值;②净价格法,采用原材料的市场价格减去开发成本(包括投入的制造资本的正常收益)来计算单位资产的价值;③使用者成本补贴,也就是说,在核算期内销售可耗尽资产获得的有限的净利润与投资使用者补贴后取得的在资产寿命期内一种可持续的收入("真正"收入)流之差。

物质流账户(Material flow account):测量经济系统中物质"吞吐量"的账户。该账户提供下面的信息:经济系统从环境系统中获取的物质投入,经济过程(提取、转化、加工和消费)中投入的转化和使用,经济系统返回给环境系统的残余物(废物) 的信息。

Mckelvey 图 (Mckelvey box):一种组合地质上确定性(未发现的/潜在的/可能的/探

明的储量)和经济上可行性(根据价格和成本,比较经济储备与亚经济资源)的二维图表。

矿产储量(Mineral reserves):见*地下资产*。

自然资产(Natural assets):包括经济资产(制造和非制造)和环境资产,环境资产包括生物资产、土地、水域及它们的生态系统、地下资产和空气。

自然资本(Natural capital):指自然资产,他们的作用是为经济生产和人类福利提供投入的自然资源和环境服务。

自然资源(Natural resources):见"*自然资产*(Natural assets)"。

净资本积累(Net capital accumulation, NCA):参见*环境调整的净资本形成和其他积累*。

净现值(Net present value):利用合适的利率将投资的当前及未来的收入流折算成现值。参见*市场估值*。

净价格(Net price):参见*市场估值*。

非制造自然资产(Non – produced natural assets):自然形成的资产,如生产需要的土地、非栽培林和矿产资源,但其自身无法生产。他们具有经济的或环境的作用。参见*经济资产和环境资产*。

资本的正常收益(Normal return to capital):利用制造资产获得的收益中应归资产所有者的份额。

营业盈余(Operating surplus):在不考虑企业借用或租用的非金融和非制造有形资产的利息、租金或其他类似的应付费用,或企业拥有的非制造金融资产的利息、租金或类似的应收款项的情况下,企业生产的盈余或赤字。

机会成本(Opportunity cost):经济商品下次最佳利用(机会)的价值,或是放弃选择的价值。

其他积累(Other accumulation):指经济决策或利益考虑引起的自然资产量的变化,不包括非经济原因(政治事件、自然事件或灾害)引起的自然资产变化。其他积累包括:如自然资源的发现、经济资产的自然增长和土地利用的变化。其值加到环境调整的净资本形成(ECF)上就可能得到一个更广泛的指标 – 净资本积累(NCA)。

其他量的变化(Other volume changes):①在 SNA 中,指非经济交易引起的资产变化,记录在生产(投入 – 使用)账户外。其他量的变化包括下列因素引起的非制造自然资产的变化:自然资产的发现、自然增长、自然资产的枯竭和退化、影响制造资产和非制造资产的战争和自然灾害;②在 SEEA 中,其他量的变化中的自然资产的枯竭和退化被作用成本转计入生产账户中,作为资本消费转计入积累/资产积累账户中。所有其他的变化仍然记录在资产账户中的其他量的变化中。

污染物(Pollutant):当存在达到一定的浓度将会对生物体(人类、植物和动物)造成危害或超过了环境质量标准的物质。

污染(Pollution):①环境介质(空气、水和土地)中存在的物质和热量,其性质、位置或数量会产生不良的环境效果;②产生污染物的活动。

减轻污染(Pollution abatement):采用技术和措施来减少污染物和/或其对环境的影响。洗刷、噪声消除设备、过滤、焚烧装置、废物处理设施及废物合成是最为常用的技术。

减轻污染的成本或支出(Pollution abatement costs or expenditures):减轻或减少特定污染物的成本。参见*维护成本计算*。

制造自然资产(Produced natural assets):参见*栽培自然资产*。

探明储量(Proven reserves):参见*地下资产*。

配额(Quota):分配给一个经营单位如国家、船队、公司或单个渔民允许的总捕获量(TAC)的份额。配额有可转让的或不可转让的、可继承的或可交易的等不同类型。一般而言,配额不仅可以用来分配TAC,还可以用来配置捕鱼能力或生物量。

补充(Recruitment):①鱼成为可开发存量的一部分和变得容易捕获的过程;②在捕鱼区,通过自然生长或迁移每年可开发储量中增加的数量;③一岁类的鱼转变为可捕获的鱼的数量;④进入任何年龄或大小间段的鱼的数量。

可更新自然资源(Renewable natural resources):在开发后能够通过自然增长或补充过程恢复到利用前的存量水平的自然资源。"条件可更新资源"是指那些可更新资源的开发,最终会达到一种状态,超过这种状态,更新是不可能的。热带森林的出清就是这样的一个例子。

租金(Rent):由承租者或使用者支付给土地和地下资产所有者的资产收入。对地下资产使用的租金被定义为特许权使用费。参见*霍特林租金*。

储量(Reserves):参见*探明储量*。

资源管理(Resource management):为确保资源持续的生产力,管理机构为控制利益团体现在和将来行为信息而进行的数据收集、分析、规划、决策、资源的分配、形成和实施规章制度的综合过程。

资源租金(Resource rent):是开采自然资源产生的总利润减开采过程中发生的成本。这些成本包括生产资本的成本,但不含税金、特权使用费及其他与开采过程没有直接关系的成本。参见*市场估值*和*霍特林租金*。

恢复成本(Restoration costs):一些活动实际的或应负担的支出。这些活动是为了恢复枯竭和退化的自然系统,部分或全部地消除经济活动造成的环境影响(积累的影响)。

特许权使用费(Royalties):使用地下资源给付的租金。见*租金*。

径流(Run-off):流经地面最后汇聚到河流的部分降水、融雪或灌溉水。径流可以吸纳空气、土地中的污染物,并将它们携带到接收的水体中。

盐碱化(Salinization):土壤盐分的变化。主要在包含很多小区域的干旱或半干旱区,因不合理的灌溉管理造成;或是在沿海地区,由于海水和地下化石盐水的入侵引起;或是对于具有不同盐分的蓄水层过度开发地下水引起的。多发生在人类活动导致土壤中含盐物质或含盐的地下水快速蒸发的地区。

卫星账户(Satellite accounts):为扩展国民账户的分析能力,在国民账户外建立的附加的或平行的核算体系。目的是避免主要系统过于复杂和混乱。集成环境经济核算(SEEA)就是国民核算体系(SNA)的卫星账户。

土壤侵蚀(Soil erosion):参见*侵蚀*。

洄游鱼群(Straddling fish stock):在专属经济区(EEZs)与海洋间迁移的鱼群。

立木价值(Stumpage value):为取得伐木权,潜在采伐者的最大支付意愿。在完全竞争的市场条件下，立木价值指贴现利用森林生产木材产生的净利润得到的净现值。

地下资产(Subsoil assets)：①探明储量，是指在特定时期，通过分析工程地质数据，证实(具有合适的确定性程度)在现有的经济与运营条件下将来可以提取的矿产储量。②可能(指示的)储量，研究在预测的长期平均开采价格下，矿床的开发经济上是否可行可以提供关于矿体的连续性、范围、品位、运营和资本成本等方面足够的信息，据此估计矿床的数量和品位。③确定(证实)资源，为①与②的合计。④潜在储量(推断的)，是指依据不多的沉积物的地质特性来估算资源的量，如抽样测定。

可持续性(Sustainability)：①当代在利用生物圈的同时需要维持生物圈对未来一代的潜在生产能力；②自然资源枯竭和环境退化可能削弱经济增长和发展的上升趋势。

可持续捕获量(Sustainable catch)：假定环境条件不变，在不减少鱼群的生物量的前提下，可从鱼群中捕获的鱼数(重量)。对于不同的存量，有着不同的可持续捕获量。最大可持续捕捞量需依照鱼群的大小及其组成来定义，等于鱼群的自然增长量。

可持续性发展(Sustainable development)：在满足当代人发展需求的同时，不影响后代满足其需求能力。认为需要为将来的增长和发展保存自然资产。

可持续性收入(Sustainable income)：可持续的国民收入定义为，确保后代至少达到当代人同样的生活标准的国家最大消费量。

可持续性产出(Sustainable yield)：在不削弱种群/生态系统再生能力的情况下，可更新(生物)资源的开发产出。通常等于资源的增长量。

有形资产(Tangible assets)：包括人造(制造)非金融资产和非制造自然资产，不包括无形资产(无产出)如专利权或信誉等。参见*自然资产*。

技术变化(Technological change)：等量投入可以得到更多产出的技术的改进。

总可捕量(Total allowable catch, TAC)：参见*可捕量*。

可交易排污许可权(Tradable pollution permits)：在模拟的市场中出售或购买实际或潜在的污染。

跨界污染(Transboundary pollution)：一个国家产生的污染物，通过水、空气等渠道跨越边界，对另外一个国家的环境造成损害。

使用者成本(User cost)：参见*市场估值*。

估值(Valuation)：参见*市场估价，维护成本计算，条件估值*。

增加值(Value added)：生产产品的价值减去生产过程中使用的原材料及商品的成本。

废物(Waste)：非主要产品(即为市场生产的产品)的物质，生产者根据自身的生产、转换或消费目的，不进行进一步的利用而想处理的物质。在原材料的开采过程中，将原材料加工成中间和最终产品的过程中，最终产品的消费过程中及其他人类活动都产生废物。残余物在产生地的循环利用或重新利用不包括在内。

水资源(Water resources)：可更新与不可更新水资源的区别在于不可更新水资源是指不能通过自然补充或很长的时间也不能补充的水资源，如深层地下水。可更新水资源包括蓄水层中的地下水和河流、湖泊里的地表水，在其未被过度开发情况下，可以依靠水文循环补给。国内的可更新水资源包含河流年平均径流量和国家范围内降水量产生的地下水。

支付意愿(Willingness to pay)：参见*条件估值*。

参考文献

[1] Aguirre, J.A. (1997). *Valuation of erosion*: a practical application. Mimeograph.

[2] Alfsen, K.H., Y.Bye and L.Lorentzen (1987). *Natural Resources Accounting and Analysis: The Norwegian Experience* 1978～1986. Oslo: Central Bureau of Statistics.

[3] Australian Bureau of Statistics (ABS) (1997). *Australian National Accounts: National Balance Sheet*. Canberra: ABS Catalogue No.5241.0.

[4] Banco Central de Chile and Servicio Nacional de Geologíay Minreía (SERNAGEOMN) (1997). *Cuantificación de los Principales Recursos Mierales de Chile* (1985～1994). Santiago: Banco Central de Chile and Servicio Nacional de Geologíay Minreía.

[5] Bartelmus, P. (1994a). *Towards a Framework for Indicators of Sustainable Development*. Department for Economic and Social Information and Policy Analysis. Working Paper Series No.7. New York: United Nations.

[6] _(1994b). *Environment, Growth and Development: The Concepts and Strategies of Sustainability*. London and New York: Routledge.

[7] _(1996). Environmental accounting: a framework for the assessment and policy integration. In *Macroeconomics and the Environment*, V.P Gandhi, ed. Washington, D.C.: IMF.

[8] _(1997). Whither economics? From optimality to sustainability? In *Environment and Development Economics* 2. Cambridge, United Kingdom, and New York, New York: Cambridge University Press.

[9] _(1998). The value of nature: valuation and evaluation in environmental accounting. In *Environmental accounting in Theory and Practice*, K.Uno and P.Bartelmus, eds. Dordrecht, Boston and London: Kluwer.

[10] Born, A. (1992). *Development of Natural Resource Accounts: Physical and Monetary Accounts for Crude Oil and Natural Gas Reserves in Alberta*. National Accounts and the Environment Division Discussion Papers, No.11. Ottawa: Statistics Canada.

[11] (1997). Valuation of subsoil assets in the national accounts. In *National Accounts and the Environment: Paper and Proceedings from a Conference*. Ottawa, 17～20 June 1997. Ottawa: Statistics Canada.

[12] Clark, C.W. (1990). *Mathematical Bioeceonomics: The Optimal Management of Renewable Resources*, 2nd ed. New York: John Wiley & Sons.

[13] Commission of the European Communities, International Monetary Fund, Organization for Economic Co-operation and Development, United Nations and World Bank (1993). *System of National Accounts 1993*. Sales No.E.94.XVII.4.

[14] Cook, L.H. (1936). The Nature and controlling variables of water erosion process. In *Soil Science Society of America Proceedings* 1. New York: Springer-Verlag.

[15] Cunningham, S., M.R. Dunn and D.Whitmarsh (1985). *Fisheries Economics: An Introduction*. London: St.Martin's Press.

[16] Daly, H. (1989). Toward a measure of sustainable social net national product. In *Environmental Accounting for Sustainable Development*, Y. J. Ahmad, S. El Serafy and E. Lutz, eds. Washington, D.C.: World Bank.

[17] Danielsson, A. and others (1997). Utilization of the Icelandic cod stock. *Marine Resource Economics*,

vol. 12, No.4, pp.329～344.

[18] de Haan. M. and S. J. Keuning (1995). *Taking the Environment into Account: The Netherlands NAMEA for* 1989, 1990 *and* 1991. National Accounts Occasional papers, NA－074. Voorburg: Statistics Netherlands.

[19] Domingo, E. (1998). Adaptation of UN environmental accounting. In *Environmental Accounting in Theory and Practice*, K. Uon, and P. Bartelmus, eds. Dordrecht, Boston and London: Kluwer.

[20] Dregne, H.E. and N.T. Chou (1992). Global desertification and costs. In Degradation and Restoration of Arid Lands, H.E. Dregne and T. Lnbbock, eds. Lubbock, Texas, United States of America: Texas Technical University.

[21] El Serafy, S. (1989). The proper calculation of income from depletable natural resources. In *Environmental Accounting for Sustainable Development*. J. Ahmad, S. El Serafy and E. Lutz, eds. Washington, D.C.: World Bank.

[22] _(1997). Green accounting and economic policy. *Ecological Economics*, vol. 21(1997), pp.217～229.

[23] Eurostat (1994). *SERIEE. The European System for the Collection of Economics Information on the Environment*. 1994 Version. Luxembourg: Office for Official Publications of the European Communities.

[24] _(1997). *An Estimate of the Eco－Industries in the European Union*. Working paper2/1997/B1. Luxembourg: Office for Official Publications of the European Communities.

[25] (1998a). *Progress on the NAMEAs for air emissions at the European level*. Joint meeting on the Working Party "Economic Accounts for Environment" and the Working Group "Statistics of the Environment".

[26] _(1998b). *Sub－soil* Assets. Joint meeting on the Working Party "Economic Accounts for Environment" and the Working Group "Statistics of the Environment".

[27] Food and Agriculture Organization of the United Nations (FAO) (1994). *The Collection and Analysis of Land Degradation Data*. Report of the Exert Consultation of the Asian Network on Problem Soils. Bangkok, Thailand, 25～29 October 1993. FAO RAPA Publication No.1994/3.

[28] (1995a). *Programme for the World Census of Agriculture* 2000. FAO Statistical Development Series, No.5.

[29] _(1995b). Code of *Conduct for Responsible Fisheries*. Rome: FAO.

[30] and others (1994). *Land Degradation on South Asia: Its Severity, Causes and Effects Upon the People*. World Soil Resources Report, No. 78. United Nations Development Programme, United Nations Environment Programme and FAO.

[31] Gravgård, O. (1998). Problems in combining national accounts and environmental statistics. Paper presented at the Fifth Annual Meeting of the London Group on Environment Accounting.

[32] Hannesson, R(1993). *Bioeconmic Analysis of Fisheries*, Oxford, United Kingdom: Fishing News Book and the Food and Agriculture Organization of United Nations.

[33] Herrera, R.J. and M. Bayo(1997). Development of water accounts. Contribution to Eurostat Task Force on Satellite Accounts for Water, March 1997.

[34] Hilborn, R. and C.J. Walters (1992). *Quantitative Fisheries Stock Assessment*: Choice, Dynamics and Uncertainty. London: Chapman and Hall.

[35] Hill, p. (1998). Accounting for depletion in the SNA. Presented at the One Day Meeting on Accounting for Environmental Depletion, Paris, 28 September 1998.

[36] _and A. Harrison (1994). Accounting for subsoil assets in 1993 SNA. In *National Accounts and the Environment: Papers and Proceedings from a Conference*. London, 16~18 March 1994. Ottawa: Statistics Canada.

[37] Hueting, R. (1989). Correcting national income for environmental issues: towards a practical solution. In *Environmental Accounting for Sustainable Development*, Y. J. Ahmad, S. El Serafy and E. Lutz, eds. Washington, D.C.: Word Bank.

[38] Intergovernmental Panel on Climate Change (1995). *IPCC Guidelines for National Greenhouse Gas*. Inventories. UNEP, OECD, International Energy Agency(IEA), IPCC.

[39] Instituto Costarricense de Electricidad (ICE) (1995). *Boletin Sedimentons en Suspension, Departamento de Hidrologia*. San Jose, Costa Rica: ICE.

[40] Joisce, J. (1996). Valuation of forests: some issues. In *the Third Meeting of the London Group on National Resource and Environmental Accounting*. *Proceeding Volume*. Stockholm, Sweden, 28~31 May 1996. Stockholm: Statistics Sweden.

[41] Keuning, S. and M. de Haan(1998). Netherlands: what's in a NAMEA? Resent results. In *Environmental Accounting in Theory and Practice*, K. Uno and P. Bartelmus, eds. Dordecht, Boston and London: Kluwer.

[42] Kim, S.W. and others(1998). *Pilot Compilation of Environmental – Economic Accounts Republic of Korea*. Seoul: Korea Environment Institute.

[43] King, M. (1995). *Fishery Biology: Assessment and Management*. Oxford, United Kingdom: Fishing New Book.

[44] Lal, R. and F. J. Pierce, eds. (1991). *Soil Management for Sustainability*. Ankeny, Iowa: Soil and Water Conservation Society in cooperation with the World Association of Soil and Water Conservation and Soil Science Society of America.

[45] Landfeld, J.S. and S.L. Howell(1998). USA: Integrated economic and environmental accounting: lessons from IEESA. In *Environmental accounting in Theory and Practice*, K. Uno and P. Bartelmus, eds. Dordrecht, Boston and London: Kluwer.

[46] Leipert, C. (1989). National income and economic growth: the conceptual side of defensive expenditures. *Journal of Economic Issues*, vol. 23, pp. 843~856.

[47] Lutz, E. and S. El Serafy (1988). *Environmental and Resource Accounting: an Overview*. Environment Development Working Paper, No.6. Washington, D.C.: World Bank.

[48] Myllgaard, E. (1997). Issues of water satellite accounting. In *National Accounts and the Environmental: Paper and Proceedings from a Conference*. Ottawa, 17~20 June 1997. Ottawa: Statistics Canada.

[49] Narain, P. (1995). Crop cutting survey: planner's view. Presented at the 50th session of the International Statistical Institute, Beijing, August 1995.

[50] National Institute of Economic Research and Statistics Sweden (1994). *SWEEA: Swedish Economic and Environmental Accounts*, preliminary edition Stockholm.

[51] Nestor, D. V. and C. Pasurka (1998). USA: Environmental protection activities and their consequences. In *Environmental Accounting In Theory and Practice*, K. Uo and P. Bartelmus, eds. Dordrecht, Boston and London: Kluwer.

[52] Norse, D. and R. Saigal (1993). National Economic Cost of soil Erosion in Zimbabwe. In *Environmental Economics and Natural Resource Management in Developing Countries*, M. Munasinghe, ed. Distributed

for the Committee of International Development Institute on the Environment (CIDIE) by the World Bank. Washington D.C.: World Bank.

[53] Oldeman, L.R. (1993). Global extent of soil degradation. In *Bi - annual Report* 1991～1992. Wageningen, Netherlands: International Soil Reference and Information Centre.

[54] _(1996). Global and regional databases for development of state land quality indicators: The SOTER and GIASOD approach. Presented at the FAO Workshop on Land Quality Indicators for Sustainable Land Resources Management, 25～26 January 1996.

[55] _, R.T.A. Hakkeling and W.G. Sombroek(1990). *World Map of the Status of Human - induced Soil Degradation*: An Explanatory Note, revised ed. Wageningen, Netherlands: International Soil Reference and Information Centre. UNEP.

[56] Organization for Economic Cooperation and Development (OECD)(1997). *Accounting for Depletion of Natural Assets in the* 1993 *SNA*. Paper No. STD/NA/RD(97)7. OECD - UNECE - Eurostat Meeting of National Accounts Experts, 3～6 June 1997.

[57] _(1998). Annotated agenda and final report of One Day Meeting on Accounting for Environmental Depletion, OECD, 28 September 1998.

[58] _(1999). *The Environmental Goods and Services Industry Manual*: *Guidelines for the Collection and Analysis of Data on Environmental Goods and Services Industry*. OECD/Eurostat Informal Working Group on the Environment Industry. Paris: OECD.

[59] Parikh, K.S. (1991). Towards a natural resource accounting system. *The Journal of Income and Wealth* (Indian Association for Research in income and Wealth), vol. 13.

[60] Pearce, D., A. Markandya and E. Barbier (1989). *Blueprint for a Green Economy*. London: Earthscan Publications.

[61] _(1990). *Sustainable Development*. *Economics and Environment in the Third World*. London: Aldershot.

[62] Pommée, M. (1998). Measurement and valuation of natural gas and oil reserves in the Netherlands. London Group Web Page.

[63] Repetto, R. and others(1989). Washing Asset: *Natural Resources in the National Income Accounts*. Washington, D.C.: World Resources Institute.

[64] Royal Tropical Institute (KIT) and Agriculture organization of the United Nations (forthcoming). *Towards a Methodology for Integrating Natural Resources and Conventional From Accounting*. *The case of soil Mining and Erosion - A study in Integrated Environmental and Economic Accounting*. Draft 9.

[65] Solórzano R. and others (1991). *Accounts Overdue*: *Natural Resource Depletion in Costa Rica*. San Jose, Costa Rica: Tropical Science Center, and Washington, D.C.: World Resources Institute.

[66] Spangenberg J.H. and others(1991). *Material Flow - based Indicators in Environment Reporting*. European Environment Agency (EEA) Expert Corner Series. Copenhagen: EEA.

[67] Sparre, P. and S.C. Venema (1992). *Introduction to Tropical Fish Stock Assessment*. FAO Fisheries Technical Paper. Rome.

[68] Stahmer, C., M.Kuhu and N.Braun (1998). *Physical Input Output Tables for Germany*, 1990. Eurostat Working Paper No.2/1998/B/1. Luxembourg: European Commission.

[69] Statistics Canada (1997). *Connections*: *Linking the Environment and the Economy*. Catalogue No. 16 - 505 - GAPE. Ottawa: Statistics Canada.

[70] Statistics Norway (1998). *Norwegian Economic and Environment Accounts (NOREEN)*. Final report to Eurostat. Oslo.

[71] Steurer. A(1997). Where to go at a European level. In *Material Flow Accounting: Experience of Statistical Institutes in European*. Luxemboutg: Eurostat.

[72] Stocking, M. A. (1986). *The Cost of Soil Erosion in zimbabwe in Terms of the Loss of Three Major Nutrients*. Working Paper, No. 3. Soil Resource Management and Conservation Service. Rome: FAO.

[73] _Q. Chakela and H. A. Elwell(1988). An improved method for soil erosion hazard mapping. PartI: The technique. *Geographiska Annaler*, vol. 70.

[74] Theys, J. (1989). Environmental accounting in development policy: the French experience. In *Environmental accounting for Sustainable Development*, Y. J. Ahmad, S. El Serafy and E. Lutz, eds. Washington, D.C.: World Bank.

[75] United Nations (1983). *Official Records of the Third United Nations Conference on the Law of the Sea*, vol. XVII. Sales No. E. 84. V. 3. Document A/CONF. 62/122.

[76] _ (1984). *A Framework for the Development of Environment Statistics*. Statistical Papers, No. 78. Sales No. E. 84. XVII. 12.

[77] _(1990). *International Standard Industrial Classification of All Economic Activities*. Statistical Papers, No. 4, Rev. 3. Sales No. E. 90. XVII. 11.

[78] _(1991). *Concepts and Methods of Environment Statistics: Statistics of the Natural Environment*. A Technical Report. Studies in Methods, No. 57. Sales No. E. 91. XVII. 18.

[79] _(1993a). *Integrated Environmental and Economic Accounting. Handbook of National Accounting*. Studies in Methods, No. 61. Sales No. E. 93. XVII. 12.

[80] _(1993b). *Report of the United Nations Conference on Environment and Development, Rio de Janeiro*, 3 - 14 *June* 1992, vol. I. *Resolutions Adopted by the Conference*. Sales No. E. 93. I. 8 and corrigendum.

[81] _(1995). A/CONF. 164/37; see also A/50/550, annex I.

[82] _(1996). *Indicators of Sustainable Development: Framework and Methodologies*. Sales No. E. 96. II. A. 16.

[83] _(1997). *Glossary of Environment Statistics*. Sales No. E. 96. XVII. 12.

[84] _(1998). *Central Product Classification (CPC) Version* 1.0. Statistical Papers, No. 77, ver. 1.0. Sales No. E. 98. XVII. 5.

[85] _*Energy Statistics Yearbook*. New York: United Nations.

[86] United Nations, Economic Commission for Europe (1994). Classification of environmental protection activities. Conference of European Statisticians, thirty - seventh plenary session, Geneva, June 1994. CES/822.

[87] _(1996). 1979 *Convention on Long - range Transboundary Air Pollution and its Protocols*. Sales No. E. 96. II. E. 24.

[88] United Nations and Food and Agriculture Organization of the *United Nations* (1999). *UNSD/FAO Report of the Joint Workshop on Integrated Environmental and Economic Accounting for Fisheries*. New York, 14～16 June 1999. New York: United Nations.

[89] _and United Nations University (forthcoming). *Integrated Environmental and Economic Accounting for Fisheries*. New York: United Nations.

[90] United Nations Environment Programme (1992a). *Convention on Biological Diversity*. Environmental Law and Institution Programme Activity Center. June.

[91] _(1992b). *World Atlas of Desertification*. London, New York, Melbourne and Auckland: Edward Arnold, a division of Hodder and Stoughton.

[92] United States Bureau of Economic Analysis (1994). Accounting for mineral resources: issues and BEA's initial estimates. *Survey of Current Business*, vol. 6. Washington, D.C.

[93] Uno, K. and P. Bartelmus, eds. (1998). *Environmental Accounting in Theory and Practice*. Dordrecht, Boston and London: Kluwer.

[94] Van Dieren, W., ed. (1995). *Taking Nature into Account*. New York: Springer-Verlag.

[95] Vanoli, A. (1997). Comments on "*Accounting for deletion of natural assets in the* 1993 *SNA*". INSEE No. 234/AV.

[96] Vaze, P. (1996). Environmental accounts: valuing the depletion of oil and gas reserves. *Economic Trends*, No. 510 (April 1996).

[97] Wischmeier, W.H. and D.D. Smith (1978). *Predicting Rainfall Erosion losses: A Guide to Conservation Planning*. Agriculture Handbook 537. Washington D.C.: U.S. Department of Agriculture.

[98] Woodruff, N. P. and F. H. Siddoway (1965). A wind erosion equation. In *Soil Science Society of America Proceedings* 29. Springer-Verlag: New York.

[99] World Bank (1995). *Monitoring Environmental Progress: A Report on Work in Progress*. Washington, D.C.: World Bank.

[100] _(1997). *Expanding the Measure of Wealth: Indicators of Environmentally Sustainable Development*. Environmentally Sustainable Development Studies and Monographs Series, No. 17. Washington, D.C.: World Bank.

[101] World Tourism Organization (1998). *Tourism Satellite Accounts*. Draft 4. Madrid: World Tourism Organization.